新木友行
タックル
2019　ペン、色鉛筆／紙
960×728mm

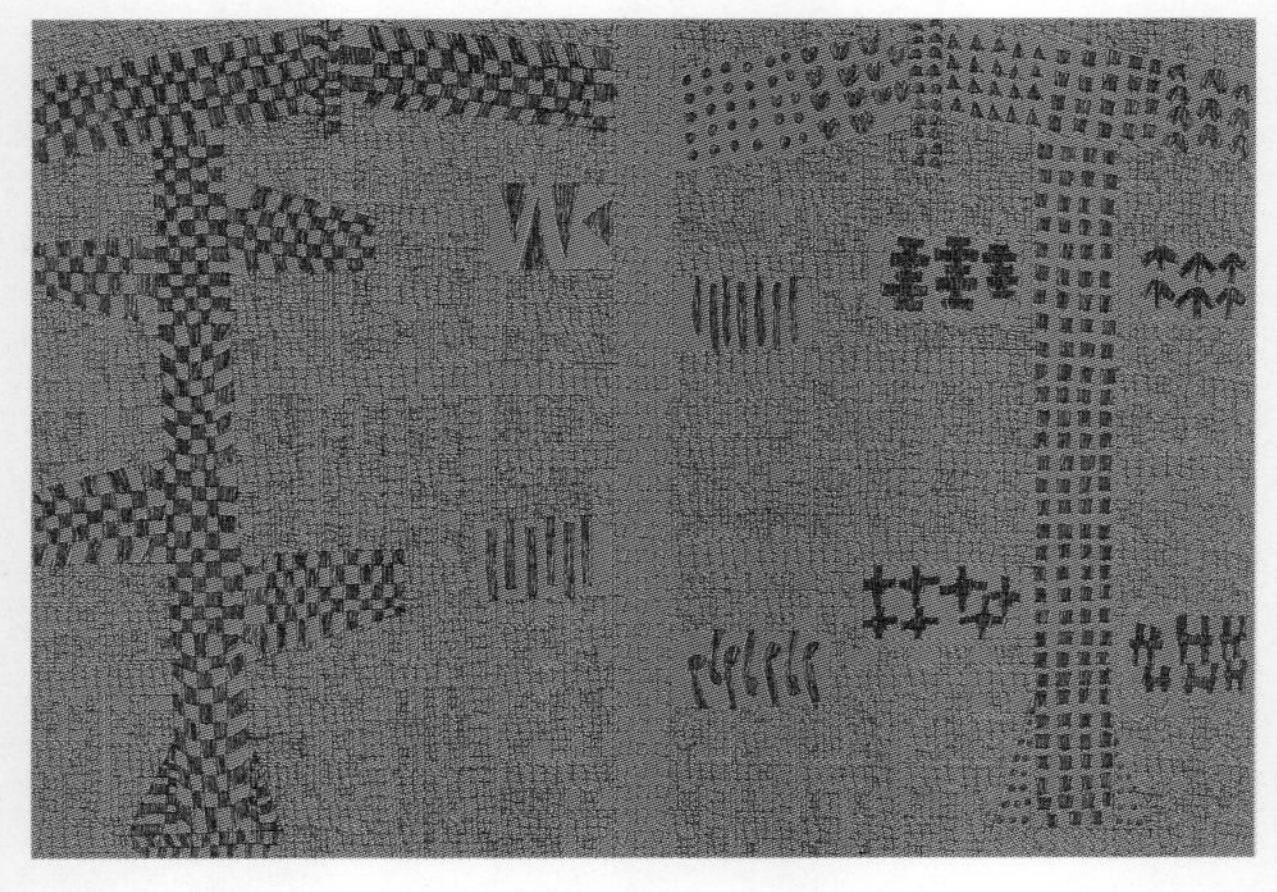

寺尾勝広
ステージえんがわ図面
2018　ペン／厚紙
297×420mm

湯元光男
新木くんの家
2004　鉛筆、色鉛筆／厚紙
250×515mm

武田英治
靴
2004　鉛筆、アクリル絵具／紙
542×381mm

河出文庫

アトリエ インカーブ物語
アートと福祉で社会を動かす

今中博之

河出書房新社

目次

第五章　バイアスを解く

第六章　現代美術の超新星たち

第九章　社会性のある企て

文庫版のための「はじめに」

本書は、ながく絶版となっていた『観点変更──なぜ、アトリエ インカーブは生まれたか』（以下、『観点変更』）の文庫化である。新たに、「いまだに、考え続けていること」を補論として書き下ろし、『アトリエ インカーブ物語』として生まれ直した。

物語の舞台は、アトリエ インカーブ（以下、インカーブ）だ。ここは知的障がいのあるアーティストと彼らをサポートするデザイナーであるスタッフが協働する工房である。インカーブが生まれたのは二〇〇二年、『観点変更』が出版されたのは二〇〇九年。それ以降、あるアーティストは国内外のアートフェアに出品し、あるアーティストはオリンピック・パラリンピックの公式ポスターを描く一人になった。一方で、親の介護で制作を中断する人やおもいがけずお空に還った人もいる。

物語は、インカーブを立ち上げた「私」の生い立ちからはじまる。小学校低学年のころ、私は一〇〇万人に一人といわれる先天的な障がいがあることがわかった。父と母は動揺し、おばあちゃんは涙を流し、私は覚悟のようなものを決めた。それ以降、たくさんの人に出会い、学びの機会をえた。そして、捨てられ、捨ててきた。残ったのは、デザインと社会福祉と仏教だった。強いて、手に入れたかったわけではないし高尚（こうしょう）な思いがあったわけではないが、気がつけばアーティストのことやインカーブのことを考えるときに、ちょくちょく顔を出してくる。

デザインと社会福祉と仏教の三本のレールは、パラレルに走っているように見えるが、私にとっては一本のレールである。まず初めはデザインのレールが引かれ、ついで社会福祉のレールが連結し、最後は仏教がつながった。デザインを成立させるためには社会福祉がなければならない。それを納得するためには仏教が必要だったのだ。そのレールは、私の「障がい」という枕木（まくらぎ）の上にしっかり敷かれている。

アーティストは知的に障がいがあるというだけで、区別を強（し）いられ、学びも仕事も普通ではない特別なものがあてがわれてきた。私がその歪（いびつ）さに気がついたのは昔のことではない。稀（まれ）な障がいのある私だってそうなのだから、あなたが気づかなかったとしても仕方がない。ただ、それを知った以上、元に戻ることはできなさそうだ。きっと、あなたは、知らんふりでやり過ごすか、交わるか、それとも攻撃をしかけてくるか。いずれにしても、あなたの記憶にはすりこまれることになる。

私たちは、悲しみや苦しみをかたときも手放すことはできない。どっぷり、それに浸かるとお互いを利他的に助け合って、普通ではないつながりをつくり出すことがある。一方で、私は、みんなが助けてくれると思っていないし、みんなを助けられるとも思っていない。みんなに開かれた場所ほど罠が多いことも知っている。旗(はた)をふる私がそうだから、インカーブは少し歪で、小さな閉じた場所になってしまった。ただ、だからこそ、お互い慮(おもんぱか)れるともいえそうだ。

インカーブが生まれて二〇年近く経った。本書はその前半の、ゴツゴツした荒削りなインカーブが描かれている。まぎれもなく、私の原点であり、インカーブ物語のはじまりだった。

二〇二〇年六月　今中博之

＊本文に登場する方々の肩書は、執筆当時のものといたしました。

＊参考・引用文献については、本文に初出を入れております。

アトリエ　インカーブ物語

アートと福祉で社会を動かす

単行本版「はじめに」

「現代美術の超新星たち」がサントリーミュージアム［天保山］（現・大阪文化館［天保山］）に現れた。多くの美術ファンが見に来てくれ、マスコミが押し寄せ、美術評論家は批評を書いた。数年前までは顧みられることのなかった作品とチームが、注目を浴びたのだ。

「現代美術の超新星たち」のアーティストには知的に障がいがある。私には、身体に障がいがある。あなたにも何か障がいがあり、わが日本にも障がいがあるはずだ。

　モノやコトは観る高さや角度を換えることで無数の見方が存在する。私は、その見方を意図的に換える所作を「デザイン」と呼んでいる。数年前まで欲望を駆り立てるデザインが私の仕事だった。社会的に必要のないものまで、いかにも必要なように体裁を整え、世の中に発信してきた。市場に迎合することで生業を得てきた。強者のためのデザインは、強弁に人を説得する。

　そのうちに、何かが違うと思った。

　本書は、デザイナーとしての私の歩みである。ただ、その歩みは非常に混沌としている。縦糸は「福祉と市場」。横糸は「デザインとアート」。一般的には二項対立の世界だと思われている糸が絡み合って、一〇〇万人に一人といわれる障がい者としての私がさらに絡んでいく。

ストーリーは、知的障がいのあるアーティストが集うアトリエ インカーブで展開される。アーティストを囲む人々は、学芸員、デザイナー、芸能人、福祉事業者、企業人、大学教員、行政マン、政治家……バラエティーに富んだ面々がアーティストの不思議な力に吸い寄せられてきた。

なぜ、アトリエ インカーブが生まれたか？　生まれなければならなかったか？　縦糸と横糸をほぐしながら読み解いていただければ幸いである。

二〇〇九年八月　今中博之

第一章　「一〇〇万人に一人」の、私は何者か

原風景

無償の愛

偽性(ぎせい)アコンドロプラージア。これが私の障がい名だ。一〇〇万人に一人の確率で生まれた。四肢(しし)の軟骨(なんこつ)に形成不全があり、若くしてからだの成長が止まり、現在の身長は一三五センチ。関節の可動域が少ないので、高いところも低いところも手が届かない。五〇メートルも歩けば息が上がってしまうので長距離は車椅子を使っている。当然、階段は上れない。

そんな私を真綿で包むように大切に育ててくれたのは、明治生まれのおばあちゃんだった。京都で小さな酒屋を営んでいた。名医がいると聞けば私をおんぶして全国どこにでも行き、西洋医学から東洋医学、民間療法……ありとあらゆる治療法を試みて

くれた。染色体に先天的な異常があることは昔の医療ではわからなかったのだろう。結果的には手術を一度しただけで根治せず、現在に至っている。

しかし、おばあちゃんから注いでもらった無償の愛は、現在でも私の生きるすべての力だ。「人はここまで人を愛せるのだろうか？」十数年前におばあちゃんを亡くしてから反芻している。なぜ、それほどまでに愛してくれるのか？　障がいがあるから？　孫だから？　そんなことではかれない途方もない愛を注いでくれた。

小さなときから、勉強を強制された記憶はまったくない。とにかく、元気でいてくれさえすればいい。そんな思いが家族全員にあったのは確かだ。ただ、おばあちゃんは、ことあるごとに「勉強ができるありがたみを知らなあかんどす」と言っていた。自身の無学を悔やみ漢字が読めないことを恥じてもいた。実家が貧乏のどん底だったから学校に行きたいとも言い出せず、近所の赤ちゃんの子守をしながら家族を支えていたようだ。世の中の酷薄さに悲嘆にくれることもあったはずだが、いつも陽気にふるまっていた。「感謝どすえ、おおきに」が口癖だ。

おじいちゃんが亡くなってから酒屋を廃業し着物の縫い仕事の内職をしていた。酒屋より縫い物をしているおばあちゃんのほうが記憶に残っている。小さな背中を丸めて、蛍光灯のスタンドをからだのそばに寄せ、目をぱちぱちさせながら夜遅くまで着物を縫っていた。「貧乏、金持ちはまわりもち。貧乏を恥じたらあかんどす。人の道をはずしては畜生にも劣る。塩を舐めてでも生きられまっせ」と威勢よく話す。

　貧乏な生活から抜け出せない原因はお金の使い方にあった。けっして贅沢品を買うわけではないが、お金に困った人がいれば貯金をはたいてでも援助する。塩を舐めてでも生きていける主義のおばあちゃんは、自分の生活なんておかまいなし。家の天井(てんじょう)は破れて雨が降りこんでいた。そんなおばあちゃんをいまだに慕(した)ってくださる方も多い。まぎれもなく家族の大黒柱(だいこくばしら)だった。

　小学生のころ父の仕事の都合で京都を離れた。おばあちゃんと別れるとすぐにホームシックにかかった。夜な夜な寂しくて泣いていたら、涙が耳にたまり中耳炎になった。耳鼻科の医者も驚いていたが、まさか、涙が耳いっぱいにたまるなんて想像もしなかったのだろう。あのとき感じた胸が張り裂けるような寂しさはいまだに味わったことがない。

　信じられないかもしれないが、おばあちゃんが亡くなる日まで、一日たりとも声を聞かなかった日はない。大学時代は寮から「おばあちゃん、元気?」「元気やで。ひろしも元気か?」「元気やで」と電話した。ただそれだけの短い会話で満足だった。海外出張のときは心配させないように、国内にいるように見せかけて電話をかけた。薄々知っていたかもしれないがそれでも嘘をつき通した。

　天台宗宗祖の最澄(さいちょう)は「忘己利他(もうこりた)」を説いた。己を忘れて他を利するは慈悲(じひ)の極(きわ)みなり。自分を捨てて、他に報いる姿はおばあちゃんに重なった。「自利」「利他」が拮抗するのが人間なのかもしれないが、おばあちゃんは「忘己」（己を忘れる）と「利他」（他人のために）を兼ね備えた人だった。今にして思えば、膝枕で聞かせてくれた話は仏の道に通じるものばかりである。

道に迷いそうなときは、いつでもあの皺くちゃな手が私を導いてくれる。人は、守るべきものがあるときに強くなれるというが、実は人に守られているときこそ強くなれるのかもしれない。おばあちゃんからもらった教えは暗闇の中の一光。途方もなく大きい。

湾曲した足

小学校一年生のころ、両足の手術を受けたが失敗した。多感な私がいた病室は無機質で孤独な場所だった。それ以降、メスをからだに入れたことはない。両足に刻まれた四か所の傷はいまも残ったままだ。

私は、何をされるのかわからないまま診察室に入れられ、医者は私のズボンを下げた。医者は、無言のまま湾曲した足をポラロイドカメラで何十枚と撮影し私のからだは標本化された。あの時の屈辱感を忘れたことはない。

医者になされるがままの日が続いた。現在では、原因不明の先天的な障がいだと判明しているが、当時はそんなことはわかるはずもなかった。連日、血液検査が続き注射を打ちすぎて両腕は青いシミができて腫（は）れ上がった。もう注射針を刺すところがない。

明治生まれのおばあちゃんは、いつも「男は人前で泣くもんやない」と言っていた。しかし、「注射なんかで泣くやつがおるか」とは言わず、「もうやめてもらえんやろか」と涙をこぼしながら医者に懇願（こんがん）した。そして腫れた両腕をさすりながら、また、涙をこぼすのだ。

一日も欠かさず、京都から入院先の神戸まで電車を乗り継いで来てくれた。湾曲した足が真っ直ぐになると思っていたのだろうか。それとも「根治はしません」という最終宣告を自分の耳で聞きたかったのだろうか。

三時間ほど経過したころ、「無事、手術は成功しました。後は経過を見てみましょう」と主治医は話した。湾曲した足が真っ直ぐになり背が高くなったに違いないと思うとうれしかった。

数週間後、両足のギブスを外すときがきた。医療用の電動のこぎりが石膏（せっこう）を巻き上げてギブスを解体していく。筋肉が衰えて皺くちゃになった足が徐々に見え、石膏を濡れタオルで拭く看護師の手のあいだから、真っ直ぐになった足が顔をのぞかせた。

湾曲した足が過去のもののように感じられた。担当してくれた看護師や隣のベッドの友達に、退院してからの未来を聞かせる。運動会でリレーの選手になること、野球大会でホームランを打つこと、二五メートルをクロールで泳ぐこと、どれもがたやすいハードルだと思った。

術後、すぐにリハビリが始まった。毎日、平行棒の歩行訓練は単調だったが嫌気(いやけ)はささなかった。徐々に筋肉がつき始めた足は日に日に大きくなり、もう少したてば自力で歩ける。

しかし、真っ直ぐだった足は、リハビリが進むにつれて元の湾曲した足に戻った。一時の魔法が解けるように入院前の姿に戻ってしまったのだ。主治医から「今回の手術では、足の湾曲は治りませんでした。もう一度、手術を行いますか？　一〇〇％成功するものではありませんが……」と告げられた。子ども心に「もう、やめた」と思った。成らないものは成らない。人生、最初の諦めだった。以降、不思議と「諦める」という言葉が私の心に沈淪(ちんりん)していく。「諦める」ことがネガティブなことではなく、違った意味が含まれているとは思ってもいなかった。

流れ転じる

鏡に映せないからだ

思春期のころ、他者の視線を気にしていた。人がたくさん集まる街中では身を隠すようにして歩いたものだ。他者の視線は鋭く、その言葉は辛辣（しんらつ）だった。

こちらから攻撃すれば、きっと汚い言葉が返ってくるに違いない、そう思うとからだも心も自然に他者と距離を置こうとするようになった。他者と交わる恐さによって、自己を守り根源的な力を増幅する必要性を思い知らされた。

唯一、安心して自我が解放できたのは「水の中」だった。顔だけが水上にあり、肩から下が水中にある状態。そこまでは私を奇異に見つめる視線も届かない。いつもは汚い言葉を吐くだろう他者は、私の前を泳いで通り過ぎる。

私に身体障害者手帳が交付されたのは一九七九年。一六歳のときだ。当初の障がい名は「モツキオ氏病」、次が「アコンドロプラージア」、現在は「偽性アコンドロプラージア」だ（ちなみに、身体障害者手帳には「両肩関節の機能の著しい障害」と「両下肢の機能の著しい障害」の二つの障がい名が並記されている）。

現在の障がい名「偽性アコンドロプラージア」について少し述べておこう。「偽性」とは「本物でない、にせの、偽造の、ごまかしの」という意味であり、「アコンドロプラージア」とは「軟骨無形成症」という意味だ。「ア」は「ない」、「コンドロ」は「軟骨」、「プラージア」は「形成」を意味している。

本家の「アコンドロプラージア」は二・五万〜五万人に一人。軟骨を形成する遺伝子の異常があり、外見的な特徴は、頭囲が大きく鼻の部分が低く、背骨の彎曲(わんきょく)が大きく、お尻の部分が出っぱるというような姿勢になるそうだ。私は顔と背骨が「普通」の大きさと形状だったことから、偽物だと判断された。一〇〇万人に一人の確率で存在する。ということは、私と同じ種別の人間は日本に一三〇人くらいしか存在しないことになる。

レイモンド・ローウイとの出会い

中学校の図書室で『口紅から機関車まで』（藤山愛一郎訳、学風書院、一九五三年）という古びた本に出会った。当時の私は、デザインや美術にまったく興味がなく、成績は1か2。まさか、その本との出会いが人生を左右するものになるとは想像もしなかった。

著者は、二〇世紀を代表するインダストリアル・デザイナー、レイモンド・ローウイである。日用品から工業製品までさまざまな分野のデザインを手がけた。彼のデザインスキルは、形態の新奇性を競うだけではない。大量に生みだされた製品を選択する「コスト」もデザインの重要な要素と捉えた先駆けのデザイナーだ。現在のデザインシステムの礎(いしずえ)をつくった人物といっても過言ではない。

しかし、中学生の私がデザインの形態や新奇性、ましてやコストについての関心を持ち合わせているはずもない。そもそも、デザインや美術に興味がなかった人間が、なぜローウイの古びた本を手に取ったのか。それは将来の不安からくるものだった。

ローウイは、この本のなかで「日常生活の無数の、絶え間ない錯綜、攪乱は、この目標の達成を一層困難にする多大なハンディキャップである。醜悪な形や色彩や、あるいは触覚や騒音や温度や煙によってかもし出される知覚的な不快さは、我々の目的地に向かう途上の多大な障害である。……心理的なものにせよ、これらの無用な刺激はみな正しい設計によってもっと緩和できるものである。これらはすべてインダストリアル・デザインの領域に属する」と述べている。

ローウイが提示したデザイン領域の広がりは、私の将来の不安も払拭(ふっしょく)してくれた。もともと足の弱い私は、マラソン大会や山登り、運動会はいつも見学だった。将来、自立して生きていくためには、体力勝負の仕事は困難だと考えていた。もしかしたら、デザインの仕事なら椅子に座ってできるかも。かすかな夢の入り口に立てたような気がした。

そんな私が、美術の教員に「デザインとはなんですか？」と尋ねたことがある。教員は、「デザインとは整理整頓です」と答えてくださった。これが私のデザインの入り口だ。図書室で『口紅から機関車まで』を手にしていなかったら、もし、障がいがなかったら、きっと私はデザインの道を歩むことはなかったと思う。

自らを受容する

輪廻を抜け出すためには、すべての執着から解き放たれなければならないという。それは修行の究極の目的だとされる。優柔不断な私が、短い現世で執着から解放されるとは思えないが障がいという因果を背負って生きることを認められるようになったのは、それほど昔のことではない。

私は自分の目に映る人を自分の姿だと自分に思い込ませて生きてきた。目の前に一八〇センチの身長の男性がいれば、私の身長は一八〇センチになった。筋骨隆々の男性がいれば、私の筋肉も隆起した。

身体イメージを他人に依存させるためには、犯してはならないルールが一つある。それは自分自身の姿を鏡に映さないことだ。顔だけなら問題ない。上半身だけならまだいい。からだ全体が映し出されることは、心に致命的な傷を与えてしまう。自己陶酔的な夢や理想は、鏡に映った瞬間、毒に蝕まれ、ゆっくりと瓦解してしまう。「受容すること」ができなければ、「受容されること」はない。「受容すること」と書けば簡単であるが、受容する技術を学ぶことはなかなか難しい。おばあちゃんは、私の障がいをどのように受容したのだろうか。至極、単純だ。体力が衰えたのである。

　ドイツの革命家カール・マルクスは晩年に「下部構造が上部構造を決定する」と語っている。つまり下部構造であるからだに力がなくなれば、上部構造の精神も前向きにならないということだ。「人間、食い力が大切でっせ」と私に言い聞かせてくれていたおばあちゃんであったが、年を重ね、体力が徐々になくなっていった。体力の消耗が「受容しやすい」心を作っていったのだ。私も同様だ。体力がなくなれば、あれもしたい、これもしたいという気持ちが萎えてくる。加齢の最大の長所ではないだろうか。

「受容」とは親鸞の「自然法爾」に近い感覚だと思う。ただ何もしなくて、「自然に任せる」というのではなく、自力をつかい、あらん限りの努力をして、刀折れ矢尽き、そして、見えてくる「阿弥陀如来にお任せするしか仕方がない」「これでいいのだ」「しょうがない」という思い。人間の力はたかが知れている、そういう世界に至るのだろう。

第一章 「デザイン」とは何か

喜ぶ姿を見せてはいけない

屈すること、屈しないこと

「私は決して障害に屈しない。いかなる障害も、私の中に強い決意を生み出すまでだ」。イタリアの芸術家で科学者のレオナルド・ダ・ヴィンチの言葉である。

「屈することと、屈しないこと」……闘いを挑めば勝者と敗者が生まれ、喜びと悲しみが交錯し、また、闘いが始まる。障がいに立ち向かうエネルギーが強ければ強いほど、喜びと悲しみが自己と他者に影響を及ぼし、正負のエネルギーは永遠に廻り続けていく。

私は、「勝ち負け」がつくことが好きだった。ただ、私自身がからだを使ったスポーツを行うには限界がある。リレーやマラソン大会では、いつも汗をいっぱいかいて走る友人をうらやましく眺めていた。どこまで長い距離を走れるのか、人目を避けて試したこともある。自分でストップウォッチを持って五〇メートルを走ったこともあった。まさか、リレー大会に出場させてほしいなんていったらクラスの友達に迷惑をかけるので、「あんな、走るだけの競技のどこが面白いねん」とうそぶくこともしばしばだった。

スポーツをしたい。純粋に競いたい。だが、からだの痛みがその思いを受け入れさせなかった。それでも、何かに挑みたい。でも、できない。相手と競う友達が羨ましくてたまらなかった。

運動ができないことで「勝ち負け」を競うことは「勉強」に転化していった。私にとって、テストの点数を競うことは「知るを楽しむ」という勉強本来の目的ではなく、単純に「勝ち負け」だったのだ。しかし、徐々に点数だけで評価されることが空しくなり、「勉強をすること」はローウイを介して「デザインすること」に変わっていった。

私がデザインを志したのは計画された偶然だったのかもしれない。父は大工で、母は京都友禅の絵に色付けを一時していた。そして両親とも整理整頓が得意だった。おばあちゃんはもっと得意だった。「デザインとは整理整頓すること」。デザイナーになるための環境は幼少のころから準備されていたようだ。

デザイナーになることを目指していた大学生のころ、「デザインすること」は「屈しないこと」だと思っていた。それは障がいに屈しないことであり、他者に屈しないことだった。肌の色が違っても、生まれた土地が違っても、からだに障がいがあっても、実力だけで這い上がることができる「闘いの世界」だと信じていたのだ。

敗者となった者がどれほどの苦しみと悲しみを背負うかなんて、その当時は想像もしなかった。私は、健常者から見れば敗者として映ったかもしれない。だが、鏡に映る上半身の私は頑強で「屈しないこと」は若き自己の根拠。「屈すること」の強さを知るのはまだまだ先のことだった。

橋は焼かれた

大学生のころ父の事業が破綻。私は、学費と寮費を工面するため、自転車の反射板を作る工場で生まれて初めてアルバイトをした。立ち仕事はできないので座ってできるアルバイトを探さなければならない。くわえて、電車で通う場所は無理だ。駅は階段が多く足が急に痛くなっても休むベンチも少ないからだ。長距離が歩けない、階段が上れない……。どんどん選択肢が少なくなった。でも、それも慣れっこだった。少ない選択肢は素晴らしいご縁を運んでくれることもある。

自転車の反射板作りのアルバイトは夕方五時から翌朝七時までだった。完徹の仕事だ。ノルマは一晩で一万個以上。アクリル製の反射板とビスを手で組み合わせプレス機で一体にする仕事で耳が聞こえなくなるぐらいの爆音がする。ヘッドホンをして音量を大きくしても爆音が耳に届いた。それだけに当時でも一日、一万二〇〇〇円ほどの高給だった。

　午前〇時に冷たい弁当が支給される。それを工場の駐車場でブルーシートにくるまって食べた。真っ黒い空を見上げながら、くり返し考えた。なぜ、事業が破綻したのだろう。これから父や母はどうなるのだろう。大学を辞めることになるのだろうか……。不安が希望を凌駕（りょうが）していくのがわかった。

　頼れる人を求めたが、それを口にしてはいけないと思った。口にすれば父も母も惨めな思いにさせるに違いない。もう暖かい場所に戻るための橋は焼かれたのだ。孤独の闇が深いほど、藁（わら）にもすがる思いでデザインを学ぶことに執着した。もうデザイン以外に頼れるものはない。この世界で見捨てられたら引き返す場所はない。そんな切羽（せっぱ）詰まった気持ちだった。

　悲しいこともつらいことも、長い時が記憶を消してくれる。記憶を永遠に留めることは不可能だと信じたかった。父の事業が破綻してから、記憶を積極的に消してしまいたいことがたくさん生まれた。母からの最後の仕送りは千円札数枚と十円玉が数個だった。悔し涙が出た。大人は「苦労は買ってでもしなさい」と言うが、あまりにも大きな苦労は人格を歪めてしまう。

橋を焼かれれば逃げ道がなくなる。追いつめられたネズミはネコに噛みつくという。その姿は勇猛果敢と映るか、狂気の沙汰と映るか。どちらにしてもネズミは孤独である。

下品を知る

「屈すること」なく大学生活は過ぎていった。私の通っていた芸術系の大学では、四年間の総決算として、卒業論文のかわりに卒業制作を行うことが義務づけられている。私は、大きなパネル（A1サイズ）を二〇枚近く作成し、専攻していたインテリアデザイン学科で最優秀賞をいただいた。

ネズミと化した私は、必ず獲らなければならない賞だと思い込んでいた。制作したレベルがどうのこうのではない。ネコに勝つための武器としてこの賞は絶対に必要だったのだ。

受賞は才能が開花したのでもなければ、優秀さが認められたわけでもない。卒業制作という短期の戦いに勝っただけだった。自分の力は自分が一番わかるものだ。野球では実力のある者が、短期戦を制するとはかぎらない。時の勢いが戦いを制することもある。私の受賞はまさしく時の勢いだけだった。

卒業式で、生涯忘れることができない言葉に出会った。卒業制作で賞を獲った学生は、学科を代表して別室で卒業証書をもらうことになっている。そこで理事長から述べられた祝辞は次のようなものだった。「賞をもらったからといって喜んではいけない。それは下品な行為だ。この部屋のむこうに、賞を獲れなかったたくさんの友人が、悔しさと悲しみを抱いているのだ」。私は、呆然とした。あれほど一心不乱に制作に打ち込んで獲った賞なのに……。喜ぶことは下品なのか、大人の社会とはそういうものなのか、気持ちが萎えた。

そのときから、素直に喜びや感情を表現することが苦手になってしまった。「屈すること」を否定してきた四年間は間違いのない時間のはずだった。それを真正面から砕かれた。自分の追い求めたものが間違っていたのか、それとも、私の前で講釈を述べている人間が世間知らずなのか……。

話を聞き終わり、賞状と卒業証書を手にした、と思う。「下品な行為だ」という言葉を聞いてから記憶が飛んだ。「下品」を「下品（げぼん）」と読めば意味が異なってくる。『観無量寿経（かんむりょうじゅきょう）』という仏教の経典に出る言葉で、浄土に往生（おうじょう）する者をその生き方に応じて、上品（じょうぼん）から中品（ちゅうぼん）、下品に分けた。

現代は、経済のグローバリズムが世界を席巻し、環境破壊や極端な格差社会を生み出した。そして人が人を裁くことを要求する社会に成り下がった。仏の教えとは正反対な方向に進んでいる。お互いの力を誇示し傷つけあう生き方は、下品そのものである。当時の私は下品だった。自分の役に立つことだけを追い求めていた。

しかし、親鸞は「下品は偽らざる人間の現実の姿だ」と説いた。下品な者は下品としての愚かさを教えられて、はじめて生きることの悲しみを知る。そして人として生きる道を計るのだという。「喜んではいけない」という言葉は喜びを否定し、悲しみを肯定する。「屈しない」私は少しずつ変化していった。

「オリジナリティ」は必要か

育てられる

私は、大学を卒業後デザイナーとして、株式会社乃村工藝社（のむらこうげいしゃ）のデザイン部に採用された。乃村工藝社は、ディスプレイ・デザインを中心とした空間設計を行う会社である。仕事の領域は大きく三つに分かれていた。美術館、博物館、水族館を扱う「文化系」。企業のショールームや博覧会を扱う「企業系」。ショッピングセンターや個人店舗を扱う「商業系」だ。また仕事の領域ごとに営業部、デザイン部、制作部の三つに分かれていた。当時も今も、乃村工藝社は業界の最大手で社員の三分の一がデザイナーという企業だ。

私が籍を置いたデザイン部は、企業のショールームや博覧会の空間をデザインしていた。しかも入社当時はバブル全盛時代でイケイケドンドンだった。人目を引くためのデザインが要求されたのは空間デザインだけではなく、グラフィックデザインやファッションデザイン、プロダクトデザインにいたるまで、これ見よがしの商業主義全盛の時代だった。

「企業系」のデザイン部は、エンドユーザーと企業を空間デザインで橋渡しする仕事だった。企業ショールーム、ショーウィンドウ、博覧会、展示会が主なフィールドだ。例えば、こんな仕事である。大手家電メーカーが新商品を開発した。世界初の技術を搭載した音響機器。社運をかけて販売実績を伸ばしたい。そのために必要となるのがメーカーのブランド力と商品力をアピールする訴求（そきゅう）ツールである。さまざまな訴求ツールがつくられるが、そのうち空間に関するデザインを行っていくのが私たちの仕事だった。

当時はどの企業も「若手をたたき上げて一人前にする」環境が整っていたように思う。乃村工藝社もしかりである。もちろん大学を卒業したての若造が何もできるはずがない。私の仕事の大半は、先輩の手描き図面をコピー室に運び、青焼き図面を何枚もとることだった。私は、先輩の図面を見ながらディテールを盗むことに必死だった。

今日、デザインや設計業務で手描き図面を探すことは非常に難しい。手描き図面を要求するのは旧態依然とした一級建築士の国家試験ぐらいではないだろうか。ただ、それとて青焼きをとることはない。

鉛筆を走らせ、手の脂で艶っぽくなったトレーシングペーパーはデザイナーの分身だ。何度も消しゴムで消された無数の線が、精選された一本の線になりフォルムが構築されていく。当時の先輩は苦行僧のようだった。机に向かう後ろ姿を見ながら、これがデザイナーだと思った。

オリジナルを追う

子どものころから行事や式典などの集団行動は苦手だった。保育園のお遊戯の写真には、踊ることが嫌で椅子から立ち上がろうとしない意固地な私が写っている。保育士さんが無理矢理踊らそうとするので、すごい形相で睨みつけている。可愛くない子どもだったに違いない。

中学校でも高校でも学校指定の制服を着たり鞄を持つことが嫌だった。登下校でいつもの道をいつものグループで行き来することが不自然に思えて、私は登下校ルートとは違う道を選んで帰った。ルール化され、横並びに扱われることがとにかく嫌だったのだ。

新聞記者だった叔父は、よく私に鉄製のミニチュアの車やブリキでできた動物の玩具（おもちゃ）を買ってくれた。それは重く精巧で、大量生産品からは味わえない品がある。おばあちゃんは、私にアーノルドパーマーの靴下をはかせてくれた。経済的に困窮していても身なりだけはしっかりしておくものだと言い「本物」を着せようとした。

デザイナーになって十年ほどたったころ、「デザインとは何か？　オリジナルとは何か？」と考え始めた。

オリジナルとは、「人と違ったコトやモノ」をつくり出せる能力ではないのか。翻（ひるがえ）って、そのような能力が私に備わっているのだろうかと疑問に思った。アメリカに出かけて、有名な建築やショップを手当り次第に見てまわりカメラに収めた。国内もまわった。最新の書籍も買い込んだ。そして、読みふけったが答えは見つからない。

その悶々（もんもん）とした気持ちと裏腹にたくさんの賞を獲得した時期だった。一九九七年、グッド・デザイン・アワード（通商産業省〈現、経済産業省〉によって創立されたグッドデザイン商品選定制度。通称Ｇマーク制度）で「ユニバーサル・デザイン賞」を獲得、「優れたデザイン」として表彰された。また二〇〇一年には社団法人日本ディスプレイデザイン協会（ＤＤＡ／現・一般社団法人日本空間デザイン協会＝ＤＳＡ）が毎年開催しているディスプレイ分野における新しいデザイナーの発掘と、デザイン活動の向上を表彰する総合コンテストで「ディスプレイデザイン奨励賞」を受賞。その他にもウィンドウデザインで通商産業大臣賞、ショップの照明コンテストでも賞をいただいた。

受賞が評価され新聞や雑誌に紹介された。しかし、気持ちが晴れることはなかった。なぜ、賞がもらえるのだろう。歴史上のデザインと現代のデザインをミックスしてコピー&ペーストしているだけの代物(しろもの)なのに。なぜ、審査員は見抜けないのだろう。敗北感にも似た気持ちと傲慢(ごうまん)な気持ちが輻輳(ふくそう)していった。

「デザインとは何か？　オリジナルとは何か？」の問いはいまの私をつくるきっかけとなった。その大きすぎる問いは頭の中心から離れることはなかった。

そんなとき、おばあちゃんが逝(い)ってしまった。賞をとれば涙を流して、一途に私を信じてくれた。おばあちゃんに褒(ほ)められたいからデザインの仕事をしていたのかもしれないと思った。

引きこもり

精神の混乱はからだに影響を与えてしまう。過剰な精神の混乱は、人間を死の淵まで追いやることもある。私の父親は、社会から関係をたたれ、自殺未遂を繰り返した。孤独を生きるとは壮絶な苦しみを伴うものである。私の精神も混乱した。「デザインとは何か？　オリジナルとは何か？」。答えはどこにあるのか、まったくわからない。大きな雲が頭上を覆ったままだった。考えれば考えるほど孤独感がつのり、からだに影響を与えた。今までと違う箇所に痛みを伴うようになってきた。両肩と両肘の可動域が狭くなり、首が軋(きし)むように痛む。

とうとう、会社を一年間休職することになった。「デザインとは何か？　オリジナルとは何か？」その答えを見つけなければデザイナーとして生きていけないと思っていた。同時にデザインと名のつくコトやモノから距離をおきたかった。デザインという言葉がうさん臭く、上滑(うわすべ)りしているような感覚を覚えた。

後輩に「『デザインとは何か？』って、青臭いですね」と言われたことがある。学生ではあるまいし、金を稼ぐ手段ですよと言いたかったのだろうか。「仕事とは金を稼ぐこと。金を稼ぐためにデザインする。それがデザイナー」。確かにそのとおりかもしれない。

しかし、その「デザインする」に疑問がわくのだ。似たり寄ったりのコンセプトを考え、世間に罵倒(ばとう)されない形と色を作り、クライアントのご機嫌をとる。それが何かの賞をもらい、雑誌に掲載されることを願う。いままで何の疑いもなくおこなってきた「デザインすること」が、無性に「下種(げす)なこと」に思えてきた。それもこれもデザイナーとしての非力さゆえだろう。堂々巡りの闇は深くなるばかりだった。

また無理を重ねたからだは正直だった。子どものころの外科手術で根治できなかった足をはじめ、さまざまなところが悲鳴を上げていた。その痛みを少しでも軽減したい。おばあちゃんがいつも口にしていた「大難を小難に」にしたい、そんな気持ちだった。

私は、生まれて初めて障がい者のリハビリ施設に通うことに決めた。それまで障がいのある人間と出会うことはなかった。ちゃんと見れば、子どものころからそばにいたのだろう。だが、あえて見ないようにしてきた。いや、それ以上に拒絶していたのかもしれない。障がい者は私の姿を映す鏡。違う世界に住むものとして区別しなければ、自分の存在を内省できないと思っていたのだ。

リハビリではバーベルなどを使った筋力トレーニングとスイミングをおこなったが、私の障がいにフィットしたアドバイスはない。やはり、一〇〇万人に一人のケースは、障がい者専門のリハビリチームでも答えを持ちあわせていなかった。

精神の闇は晴れず、からだのリハビリも思うように進まず、いつしか「もう、デザインの世界では生きていかれへんかもな……」と思い始めていた。

第三章 「アカデミズム」の呪縛が解ける

二律背反（にりつはいはん）がとけあう

透明な檻（おり）

日本国内で推計七二四万人。ざっと日本人の二十人に一人が障がい者として認定されている。認定された障がい者は、三種類の障害者手帳を持っている。身体障がい者がもつ身体障害者手帳、知的障がい者が持つ療育手帳、精神障がい者が持つ精神障害者保健福祉手帳である。

私が通っていたリハビリ施設は、「大阪市長居障がい者スポーツセンター」（以下、センター）という。スポーツを通した障がい者の体力向上を目的とし「障害者手帳を持つ人間」だけを対象としている場所だ。私は、ここでさまざまな障がいのある人と出会い、鏡に映る私自身の姿を正面から見ることになる。

デザインを生業にしている人間として、どうしても形や色が気にかかる。建物のファサード、インテリアは当然だが、室内に置かれている家具や調度類、照明器具、照明の配向、スタッフの洋服を含むテキスタイルまで。見たくなくても目に入り、考えたくなくても頭の中をめぐった。

センター前の横断歩道には盲人用の音声装置がついている。全国どこにでもある「ピコピコ」という電子音のものだ。センターのファサードは、昔の行政がお得意とした全国どこにでもある無駄を省いた無機質な箱形で、インテリアは健常者の建築家が想定した「障がい者が使いよいと思われる」味気のない空間が広がっている。目に見えない「透明な檻」で社会と仕切られているようだった。

センターは、スポーツをメインとした事業の特性上、障がい者の中でも身体障がい者が多かった。とくに脳血管障がいや交通事故で怪我をした中途障がい者が大半だ。私のような先天的に障がいのある人間はあまり見かけなかった。障がいの種目ごとに常連同士の輪ができていて、群れることが苦手な私は一人で汗を流していた。

はじめて私に声をかけてくれたのは、軽度に知的障がいのある、私と年齢の近い男性だった。「お兄ちゃん、どっからきたんや?」そっけないくらい気楽に声をかけてくれた。肩の力がスーッと抜けていった。いっしょに筋力トレーニングをしてプールに入った。そのあと、昼食を食べながらさまざまな悪口を二時間ほど聞かされた。あの職員は愛想がない。あの障がい者はロッカーの使い方が悪い。駐車場が狭い。その悪口は不思議なほどセンターの中だけに限ったものだった。政治や経済の話は出てこない。ましてや彼の将来の夢の話などまったく出てこなかった。

それでも、彼を通して知的に障がいのある人や身体に障がいのある人と友達になることができた。いままでの友人関係にはない「緩(ゆる)やかなもの」は、闘いやディベートでは得られない感覚だった。障がい者と思われたくないという私の我と欲が解けていくようだった。同時に、閉じられた障がい者の世界が私の中に入っていくような感覚もあった。生まれて初めての経験だった。

切れかかった蛍光灯

この「緩やかなもの」は何だろう？　その意味を求める気持ちが日を追うごとに高まった。障がい者施設について何も知らない私は、自宅の近くにあった視覚に不安がある児童を受け入れる施設に飛び込んだ。一人のぶっきらぼうな中年の職員が対応してくれた。

施設内の療育は大きく四つに分かれている。一つめは「触察絵本」。市販の絵本のほかに触察絵本を使って絵本の楽しさを体感させる。二つめは「光あそび」。暗室で光るおもちゃなどを用いての光あそびを行い、見ることへの興味や意欲を喚起させる。

三つめは「触察訓練」。型はめなどの教材を使って、手指の操作性や物の認識力を向上させる。四つめは「単眼鏡の使用訓練」だ。単眼鏡（片目だけの小さな望遠鏡のようなもの）など補助具の使い方を練習し、日常生活や学校の学習（黒板を見る等）に活用していけるように指導するそうだ。

職員との会話の中で、「〇〇させる」「〇〇を指導する」という言葉がとても耳障りだった。「教育するほう、されるほう」「管理するほう、されるほう」という上下関係を意識させる言葉にひどく気分が悪くなった。その言葉は施設の中では普通なのか、それとも、あの職員は障がい者を見下しているのか、私にはわからなかった。

老朽化した小さな教室で五歳くらいの女の子が点字の勉強をしていた。点字は、六つの点を人差し指の第一関節までの部分で触りながら読む。点字を勉強するには指の皮膚が柔らかい子どものころが最も適していると職員は説明していた。

女の子は、一文字ずつ声を上げながら読む。その点字用紙は無機質な真っ白い紙だ。なぜ、真っ白なんだろう？　点字用紙のデザインは一種類だけなのか？　単純にそう思った。確かに、六点の突起がついていたら点字としてはこと足りる。それにしても真っ白な紙に違和感があった。また教室の天井には、とっくに寿命を過ぎた蛍光灯がつり下げられている。チカチカと音をたてているのは一本だけではない。ゴミ箱からはゴミがあふれ出し、使われていない机はうっすらと埃がつもっている。

視覚に不安がある人を対象にする施設だから、目に見える「環境」はどうでもいいのか？　女の子は、真っ白い紙と切れかかった蛍光灯のことを知っているのだろうか？　母親は、この「環境」を望んでいるのか？　そんな訝(いぶか)しさが募った。

次に私は、重度身体障がい者の入所施設にボランティアで参加した。寝たきりの障がい者が、朝から晩まで大広間のような和室で寝かされている。職員は、褥瘡(じょくそう)ができないように時々からだを回転させ、マッサージを行っていた。プライベートな空間はなく職員がケアしやすいことが第一義に考慮された環境だった。前にも後ろにも進むことが許されない、そんな悲しみが充満しているようだった。

乃村工藝社で働いていたころ、「環境創造」という言葉を学んだ。環境が変われば人の行動や人格さえも変わる。異様な虚無感からの脱出も環境しだいなのだろうか……答えの見つからないままボランティアが終わった。

大建築家と郵便配達員とアール・ブリュット

デザインの原点に戻るために——ル・コルビュジェ

登山家は、山で道に迷ったら元の場所に戻って、再スタートするそうだ。迷いは、歩いてきた道のりに比例しただけの垢として溜まっていくのだろう。引き返す勇気は、前進する勇気以上に価値があるのかもしれない。希望を捨てることで自分の原点が見えることもあるのだと思う。

私は、障がい者とのあいだに「緩やかなもの」を感じ、鏡に映る自身の姿を直視することができつつあった。障がい者であることを「諦める＝明らかに極める」ことでからだの原点に戻り始めていた。

さらにもうひとつ原点に戻らなければならないものがあった。それはデザインだ。原点に戻れば「デザインとは何か?」に答えが見つかるかもしれない。

私のデザインの原点は「整理整頓」だった。それを空間で教えてくれたのは大工の父親である。幼い子どものころから、棟上げには必ずと言っていいほど連れて行ってくれた。棟上げは、柱や梁などの基本構造が完成して、棟木を上げるときに行われる。

ル・コルビュジエのラ・ロッシュ邸

ロンシャン礼拝堂

それは垂直と水平で組まれた素な幾何学的な空間だ。足すことも引くことも許されない神聖な線描絵画のようだった。

　私は、大学生のころから二〇世紀の大建築家ル・コルビュジェの造形に憧れを抱くようになった。西欧の理性的な精神を受け継ぎ、工業社会に新たなコンセプトを築いた人物だ。

　乃村工藝社に入社してからも、私は時間があれば彼の図面とラフスケッチの模写をした。理性的な形態はいかに導きだされたのか、自然の秩序に基づく人間の尺度の創造はいかにもたらされたのか、図面とスケッチをトレースすることで私なりに類推した。

　ル・コルビュジェの建築に身を任せれば「デザインとは何か？」の答えが見つかるようで、一九九六年の冬、フランスに渡りパリの街でおんぼろのシトロエンを運転しながら彼の建築を追いかけた。

　最初に訪れたのはパリ、オートゥイユ地区にあるラ・ロッシュ邸だった。玄関を入ると三層の吹き抜けが出迎えてくれる。ル・コルビュジェを一生涯とらえ続けた吹き抜けをめぐる垂直上昇運動だ。「建築的プロムナード」と評された連続空間が視線を誘導していく。

　次にパリの中心部に点在する住宅から、都市的スケールの出発点となった集合住宅のパリ国際大学都市スイス館、そして、幾何学形態が乱舞するラ・トゥーレット修道院を巡った。最後にロンシャンの丘に立つノートル・ダム・デュ・オーのロンシャン礼拝堂に向かった。幾何学形態は剝奪され、「建築的プロムナード」も存在しなかった。それは彼が提唱した「近代建築の五つの要点」もかなぐり捨てた、大地に根ざす有機的な建築だった。

当時、世界の建築界はル・コルビュジェの表層的な建築言語を剽窃し、近代建築を起伏のない平坦な箱ものとして大量につくり出していた。生みの親のル・コルビュジェは責任を問われるようになり、幾何学から自然学への変容を遂げたのだろうか。

しかし、ル・コルビュジェの建築をまわりながら、私の心は不思議なくらい揺さぶられなかった。驚きも感動もなかった。なぜだろう……。あれほど憧れていた師にようやく逢えたのに。意気阻喪してロンシャンの丘をあとにした。私のデザインの原点であるル・コルビュジェは闇に包まれていた。

天使の梯子——シュヴァルの理想宮

ロンシャン礼拝堂に行く途中、フランスの南東部にあるオートリーヴという小さな村にある国の重要文化財になにげなく立ちよった。闇の世界にさまよう私に天使の梯子をかけてくれたのは、郵便配達員フェルディナン・シュヴァルが三三年かけて建てた理想宮だった。

シュヴァルは、空想癖の強い人だったようだ。郵便配達をしながら理想宮の建設を夢想していたらしい。しかし、建築についても石工についてもまったく無知だったシュヴァルにとって、理想宮を建設することなど夢のまた夢だったに違いない。

郵便配達員に採用された三一歳のときにパリ万国博覧会が開催された。それまでは産業博に過ぎなかった博覧会が、パリ万博を契機に祝祭気分の強い催し（もよお）へと変わる。日本が初めて参加した国際博覧会であり、エキゾチシズム、ことにジャポニズムが世間で話題になっていた。シュヴァルに与えた影響も大きかっただろう。

また配達する郵便物の中には、世界中から送られてくる異国の手紙や当時広く読まれていた『マガザン・ピトレスク』の絵入り雑誌があったようだ。そこに掲載された中近東や東洋、アフリカなどのエキゾチックな挿絵（さしえ）が彼の想像力を刺激したと思われる。

郵便配達を始めて一二年が経った四三歳のある日、シュヴァルは、配達の途中で石につまずきそうになった。あとでその石を掘り出してみて、不思議な形に魅了されてしまう。石には大きな渦巻きが隆起し、この世のものとは思えない威風を誇っていた。やがてシュヴァルは、受け持ち地域の道にたくさんの奇岩怪石が埋まっていることに気づく。

シュヴァルの理想宮

仕事が終わって夜になると手押し車を押して、昼間に見つけておいた石を拾い集めた。そして集めた石で若き日の夢であった理想宮をつくろうと思い立つ。以来三三年間、だれの助けも借りずにこの作業に没頭していくのだ。

「魑魅魍魎が息をしている宮殿」。シュヴァルの理想宮を見た瞬間に私はそう感じた。静ではなく動。秩序だったものではなく混沌としたもの。「整理整頓」からかけ離れた世界にシュヴァルの理想宮はあった。時代も様式もシュヴァルのなかで溶解され再構築されているようだ。シュヴァルが残したスケッチに近い図面が一枚だけ現存している。それは稚拙な落書きのような代物だ。「私のアイデアはみな夢から生まれます。仕事をしているとき、私はいつも夢をありありと思い浮かべているのです」と一九〇七年発行の雑誌『レクチュール・ブル・トゥス』のなかでシュヴァルは語っている(岡谷公二『郵便配達夫シュヴァルの理想宮』河出文庫、二〇〇一年より)。

シュヴァルは、この理想宮を図面もひかず、夢の中でつくったというのか……。近代芸術の世界では、シュルレアリスム以前に、夢を発想の根源として作品をつくったアーティストはいなかったはず。シュルレアリストの精神的支柱アンドレ・ブルトンがシュヴァルの理想宮に感嘆したのも頷ける。

ル・コルビュジェの建築は私の心を揺さぶらなかったが、シュヴァルの理想宮は次第に私の心を揺さぶり始め、ついには粉々に砕いた。そして私を深い闇から救い出してくれたのだ。二人の対比は「デザインとは何か?」を明らかにしてくれた。

初めての恐怖——アール・ブリュット・コレクション

シュヴァルの理想宮をあとにして、スイスのローザンヌ市にある「アール・ブリュット・コレクション」を訪問した。「芸術とは何か?」を真摯に追い求めて闘ったフランスの画家ジャン・デュビュッフェが創始者となり、一九七六年に開館されたアール・ブリュットの収集館だ。

デュビュッフェは、「加工されていない、生のままの芸術」を意味する「アール・ブリュット」という概念を一九四五年に提唱し、フランス美術界のアカデミズムに迎合する姿勢に反旗を翻した。デュビュッフェは、「アール・ブリュット」について次のように述べている。

芸術の教養に痛めつけられていない連中の作品のことである。彼らにあっては、知識人の場合と違い、真似事がどこにもない。主題、素材の選択、配置の方法、リズム、書法など、すべてを自分自身の奥底から引き出してくるのであって、古典芸術のしきたりや流行芸術のやり方を借りたりはしない。ここに見られるのは、自分自身の衝動からのみはじめて、すべてが再発明された、最も純粋で、生の芸術行為である。つまり、文化的芸術にありがちな猿やカメレオンの機能ではなく、発明という機能から生まれる芸術だ。

（『文化的芸術よりも、生の芸術を』展パンフレット、一九四九年）

アール・ブリュット・コレクションは、一八世紀の貴族の邸宅「ボーリュウ館」を改修して誕生した。一階、二階の小さな空間に窮屈に作品が展示されている。自然光の入らない室内は薄暗く、人工照明の照度も低くおさえられ、閉塞（へいそく）感に満ちていた、はずだ。

実は、空間イメージをあまり記憶していない。空間デザインを生業（なりわい）にしている者として、空間をつくっている床や壁の素材、置かれていたコップ、お皿、照明の種類……、連想ゲームのように記憶が蘇る。そこでだれに会って何を話したかはきれいさっぱり忘れてしまうことが多いのだが、空間の属性は年数が経っても記憶している……はずだった。しかし、アール・ブリュットの「オドロオドロしい作品」を前にして、空間イメージを記憶する脳の部位が壊れたらしい。

シュヴァルの理想宮は、幅二六メートル×奥行き一二メートル×高さ一〇メートルの長方形の建物で全体が有機的にうごめく「魑魅魍魎が息をしている宮殿」。他方、アール・ブリュット・コレクションは作品ひとつひとつが交わることを許されない

「オドロオドロしい怪物」たちだった。怪物に礼儀作法などない。ずけずけと私の脳に侵入し話しかけてきた。欲望、孤独、怒り、悲しみ、死。現代が隠蔽してきた情動を怪物たちのうめき声の中に聞いたようだった。怪物の言葉を解釈できない私は嘔吐するほど気分が悪くなった。「癒し」といった甘ったるいものではない、こちらに「生きるか死ぬか」を迫っているような霊気をもつ作品たちだ。身の毛がよだつ怪物を「整理整頓」することは不可能だった。

初めて味わう恐怖に、早く館外に出たかった。シュヴァルの理想宮は魑魅魍魎が希望や夢を語っていたが、アール・ブリュット・コレクションの作品は違う。この違いはどこからくるのだろう……。当時の私にはその謎は解けなかった。ただ、ル・コルビュジエが「理性」なら、シュヴァルの理想宮やアール・ブリュット・コレクションは「本性」のように思えた。

アートとデザインは乖離すべし

アートとは

シュヴァルやアール・ブリュット・コレクションのアーティストはアカデミズムから学んではいない。また、だれかに作品制作を強要されたのでもない。戦略を練って市場に売り出したのでもない。ただ、自らのためにつくりだしたもの。それこそが「アート」であり「オリジナル」だ。「アート」をこの世でつくりだせるのは、アカデミズムに毒されていない人間だけだと確信した。翻って、私には「アート」をつくりだすことはできない。そう思えた。

二〇世紀の初頭、アカデミズムに毒された人間が剽窃しようとするほどシュヴァルやアール・ブリュットのアーティストに心酔した運動があった。ジークムント・フロイトの精神分析の強い影響を受けたシュルレアリスムだ。リーダーは、シュヴァルの理想宮に感嘆したアンドレ・ブルトンだった。

それは意識よりも無意識、夢、偶然などを重視し、「過剰なまでに現実」を標榜した芸術運動だ。シュルレアリスムを生んだとも言える実験はオートマティスム(自動記述）である。書くスピードをだんだん上げていくと「何か」によって自分が書かされ客観的な世界に導かれるという。

仏文学者で評論家の巖谷國士（いわやくにお）氏は、『シュルレアリスムとは何か』（ちくま学芸文庫、二〇〇二年）のなかで、「『自動記述』にあまり強度に没頭してゆくと、どこか別の世界に連続して、そのままそっちのほうへ行ってしまうのかもしれない。それから、死への欲求が生まれてくるともいう。『自動記述』をやりすぎて、あるとき窓をあけてみたら、そこからとつぜん飛びおりたくなってしまったという体験もあるらしくて（中略）最後は危険になってきたために、彼らはこの実験をやめる」と述べている。

しかし、シュルレアリストの実験は、「何か」によって自分が書かされる客観的な世界に到達することはついになかった。「幻覚状態や陶酔状態」を自らつくりだすことも、「拒絶と暴力」や「理性的精神の麻痺」を手に入れることもできなかったに違いない。

東京大学大学院人文社会系研究科の西村清和教授は『現代アートの哲学』（産業図書、一九九五年）の中で、古典的な芸術観を次のように要約している。

> 芸術とは、剽窃であってはならない。つまりそれは、だれかある個人が、自分の手でつくったものであり、しかも過去にすでにあるものを模倣したり剽窃した

りするのではなく、かれの「独創」によるものでなくてはならない。そのような意味で、芸術とは「創造」なのである。こうして創造された作品は、たんなる器具のような有用性に意味がある品物ではなく、とりわけ便器のような卑俗な、さらには不道徳なものであってはならない。作品は、独創において他からくっきりと際だたせられた一個の自立的な存在として、それ自体に固有の意味と価値をもち、またその価値において、これを鑑賞する者の教養や趣味の陶冶をつうじて、あるべき人間性と道徳をたかめるものでなければならない。

こう記しながら、このような古典的な芸術の定義が現代的な芸術においても有効かという疑問も提示している。私も同じ疑問を抱く。シュルレアリストは「創造＝オリジナリティ」を持ちえたのだろうか？「過去にすでにあるものを模倣」せずして作品制作は可能なのだろうか？　現代的な芸術に限らず、古典的な芸術にもこの定義が成立するとは思えない。

幾人のアーティストが「創造＝オリジナリティ」を享受するために「理性を破壊した世界」を夢見ただろう。それは造形芸術（彫刻・絵画・建築等）のアーティストに限ったことではない。舞台芸術（舞踏・演劇等）、音響芸術（音楽）、言語芸術（詩・小説・戯曲等）、いわゆる純粋芸術の多くのアーティストたちは、「何か」によって自分の能力を超越することを欲したのではないか。

現代でも、麻薬により幻覚状態をつくりだし異常な精神になることで研ぎ澄まされた作品をつくりだそうとするアーティストは後をたたない。理性を破壊し、本性を鋭敏にするために自らの命をすり減らしている。

シュルレアリストは、シュヴァルやアール・ブリュットのアーティストのように「何か」によって自分が描かされる状態に到達することはできなかった。それはアカデミズムを通過したものにおける「芸術」生成の限界と「オリジナル」の欠如を意味するのではないだろうか。

デザインの世界に戻る

「芸術家の夢は、平たく言えば美術館にたどり着くことであるが、デザイナーの夢は市内のスーパーにたどり着くことである」と語るのはイタリアのブルーノ・ムナーリだ。彼の肩書きを書き出せばきりがない。インダストリアル・デザイナーに始まり、グラフィック・デザイナー、絵本作家、造形作家、映像作家、彫刻家、詩人、美術評論家、美術教育家等々。彼は「芸術家とデザイナー」の領域を行き来しながら、「芸術とデザイン」の違いを明確に整理整頓してみせた。

著書『芸術家とデザイナー』（萱野有美訳、みすず書房、二〇〇八年）のなかで書いている。

例えば芸術家が、ある日用品を企画設計する場合、彼は自分の様式でそれを作り上げるだろう。一方デザイナーは、どんな様式ももたない。彼が作り上げる製品の最終フォルムは、企画設計の問題に対する論理的な帰結であり、企画設計の問題におけるすべての要素——つまり、もっとも適切な素材、もっとも正しい技術を選択し、その両方の可能性を実験し、心理的要素、費用、各々の機能を考慮に入れること——を最良の方法で解決するように提案するものなのである。したがってデザイナーが見据える大衆とは、エリートではなく、むしろ消費者である一般の人々となる。(中略)他方、芸術家がデザイナーの仕事をしようとすると、かならず主観的な方法で行い、自身の「芸術性」を誇示しようとする。そして、製品に自分の信念が息づき、他の人にも伝わることを望む。(中略)以上の分析より明らかとなる芸術家とデザイナーの第一の違いは、前者は自分自身とエリートのために主観的な方法で作業し、後者は全共同体のために、実用と美観という観点でより良い製品を作ろうと、グループで作業するということである。したがって、この二つの作業方法は異なると分かる。

シュヴァルやアール・ブリュット・コレクションのアーティストの作品に出会って、私の中で「アート」の定義がはっきり見えてきた。アカデミズムに犯されず、自らのためにつくりだしたもの、それが「アート」であり「創造＝オリジナル」だと私は定義した。

翻って「デザイン」とは何か。それは「アート」の定義と真逆に位置するもの。すなわちアカデミズムに犯され、他者のためにつくりだすもの。それが「デザイン」であり「非オリジナル」だと私は定義した。言い換えれば「空想を思慮的に実現可能となるように企てる」ことだ。

ようやく、ル・コルビュジェの建築に心が揺さぶられなかった理由がわかった。吹き抜けを中心とした動線、窓からの光の入り方、視点の誘導。私はそれが「芸術なのか、デザインなのか」を区別する必要も感じないまま、すべてを舐めるように剽窃した。そして私は自身の原点に戻るためにパリで彼の建築の前に立ったが心は揺さぶられなかった。そこには彼の「作為的に意図した痕跡」があったからだ。

彼はアカデミズムの洗礼を受け、商人としての素養も高かった。若いころ、知識もないのに「コンクリート造りの建築物を建てることができます」と書いたチラシを近所に撒いていたらしい。

はたして、ル・コルビュジェは「芸術家だったのか、デザイナーだったのか」。芸術家だったなら、私の心は揺さぶられたはずだ。ル・コルビュジェ、シュヴァル、アール・ブリュットのアーティスト、シュルレアリスト、そしてムナーリ。彼らとの出会いで、アートとデザインの違いがわかった。逆説的だが、これでデザインの世界に戻れると思った。

第四章 なぜ、アトリエ インカーブは生まれたか

描くことが無性に好きな人たち

それを建てれば彼が来る

「デザインとは何か」が見えてきた私の前に「摩訶不思議（まかふしぎ）な人」が現れた。友人のグラフィックデザイナーが知的に障がいのある男性を連れてきたのだ。その人は、養護学校（現、特別支援学校）の卒業を控えていた。将来、絵を描きながら生計を立てたいという。シュヴァルやアール・ブリュットのアーティストに魅せられて帰国した直後だったこともあり、天の引き合わせに思えた。

仕事が終わった平日の夜や休日を使って彼の絵のこと、障がいのこと、養護学校のこと、卒業後の就労のこと、家庭のことを話した。何もかもに霧がかかったようで息苦しい。私のなかで「障がい」を取り巻く社会に憤（いきどお）りがわきあがり、デザイナーとし

ての魂と障がい者としての魂が結びついた。初めての瞬間だった。

彼は、油絵作品を販売して生活費を稼ぎ、暮らしていきたいと将来の夢を語ってくれた。いわゆる「芸術家」として生活していきたいというのだ。いつの時代も作品を販売して生活費を稼ぐことなど至難の業である。シュヴァルやアール・ブリュットのアーティストが作品で十分な生活費を得ていたという記録はない。彼の「作品を販売して生活費を稼ぎ、暮らしていきたいねん」という「暮らし」は、「健康で快適な最低限度の生活」を意味するもので、「夜露を凌ぎ、塩を舐めて生きていく生活」であってはいけないと私は思った。そして摩訶不思議な彼は、摩訶不思議な人たちを次々と連れてきてくれた。まるで映画『フィールド・オブ・ドリームス』のワンシーンのようだった。

それを建てれば彼が来る。幻の声がとうもろこし畑に響いた。ケヴィン・コスナー演じるレイ・キンセラは、畑をつぶして野球場を建てる決心をする。ある日、その野球場に八百長試合のかどで球界を追放されたシューレス・ジョーが現れる。そしてシューレス・ジョーとともに球界を去ったシカゴ・ホワイトソックスの八人のメンバーが次々と姿を現した。

私は、何かを仕掛けていくことで生きてきた。自分の名誉とお金を得るために、人に先んじて毎日を過ごしてきた。我執にとらわれた私から仕掛けることはあっても、相手から仕掛けられることはあまりなかった。

しかし、摩訶不思議な彼は、突然、私の前に現れた。『フィールド・オブ・ドリームス』でシューレス・ジョーがとうもろこし畑の中から姿を見せるように。ゆっくりとだが、しっかりと私の目を見据えながらやってきた。そして彼は「絵を自由に描ける場所があるで」と、同じ養護学校を卒業した友人に声をかける。

私のまわりに彼の友人が次々と姿を現した。それは知的に障がいがあるというだけでマイノリティーとされ、社会システムから隅に追いやられた人たちだった。

歪(いびつ)なシステム——アトリエ万代(ばんだい)倉庫

床が腐り、階段の踏み板がところどころなかった。民家というより廃屋(はいおく)だった。それが摩訶不思議な人たちと初めて集(つど)った「アトリエ万代倉庫」である。屋号の「万代倉庫」は、鍵についていた木片に書かれていた名前だ。元々は家具店の倉庫だったようで、流しもなく、古びた小便器だけが裸電球に照らされていた。

水回りなどの最低限の改装を行い、自宅から家具や画材、パソコンを持ち込み、制作の環境を整えた。必要最低限のものだけでいいと思った。きっとフェルディナン・シュヴァルもアール・ブリュットのアーティストも、素(そ)っ気(け)ない制作現場だったはずだ。ある者は屋根裏部屋、ある者は路上といったふうに、好きな時間に好きなだけの

め り込み、汚したいだけ汚すことができる空間。その環境が彼らを最強のアーティストに育てていったはず……。そんなことを廃屋の中で考えていた。

そのころから摩訶不思議な人たちを「アーティスト」と呼ぶようになった。彼らの領域に入ることは許されず、私の領域にも入ってこない。ただ描くことが無性に好きな人たちだった。アーティストは、口コミで集まってきて、あっという間に十人近くになった。すでに廃屋は定員オーバー。なにせ八畳程度の板の間が二部屋。ところどころ床が抜けており、制作できる有効スペースは限られていたからだ。

それにアーティストの活動時間も限られていた。乃村工藝社のデザイン部に籍を置く私が自由に使える時間は平日の夜と休日のみだった。彼らとの短いが濃密な時間は瞬く間に過ぎていった。

しかし、すぐに先立つものが底をついた。アトリエ万代倉庫の家賃、光熱費、画材費……、アーティストの数に比例して出ていくものは増えていった。サラリーマンの月給だけでは乗り切れないところまできていた。

そんなとき、友人から「無認可作業所」（小規模作業所、福祉作業所とも呼ばれる）の話を聞いた。国とは別に地方公共団体が独自に障がい者の活動や就労支援をしていく施策だという。

障害者手帳を持っている障がい者が最低で五人以上、週二日以上利用し、一定額の補助金が支給される仕組みだ。開所している日数や利用人数によって支給額は変動する。財政力があり福祉を選挙公約に掲げる市長がリーダーシップを発揮する地方公共団体とそうでない地方公共団体とでは補助金額に雲泥の差がある。また、都市と地方の格差も大きく開いていた。

「無認可作業所」とは不思議な言葉だ。なぜ、国は、「無認可」の施策を黙認しているのか？　それは障がい者施策の脆弱さをわかりやすく象徴していた。一八歳で養護学校を卒業した障がい者は、一般就労、福祉就労、家事労働に分化されるかたちで社会に巣立っていく。一般就労の受け入れ態勢が脆弱な日本では、大半の障がい者は、大きく二つの福祉就労に就くことになる。一つは、国が認可した社会福祉法人の施設への就労。そこでは、建築基準法や消防法などさまざまな規制が課せられるかわりに、大型の建築物でよりよい生活環境を提供することができる。ただ、多額の税金が投入されるため、国、地方公共団体とも慎重に施設数をハンドリングしている。

二つめが無認可作業所である。国の少ない認可施設の数を補う形で無認可作業所は全国に分散し、アメーバのように広がり、全国で約五万人以上の障がい者がこれを利用していた。障がいがある子どもを持つ親たちが自己資金を投入し、地方公共団体から小額の補助金を得て運営している例も多い。

本来、障がい者の日常生活支援や就労支援は、国の責任であり国が認めた形（認可）で行わなければならないはずだ。日本国憲法二五条一項には、「すべて国民は、健康で文化的な最低限度の生活を営む権利を有する」と国民の生存権を謳（うた）い、同条二項で「国は、すべての生活部面について、社会福祉、社会保障及び公衆衛生の向上及び増進に努めなければならない」と国の保障義務について規定している。

国が認めない制度が障がい者施策を支えている。サラリーマンでは知り得ない歪なシステムだった。

安全な秘密基地

アトリエ万代倉庫は、アーティストと私の初めての秘密基地だ。雨漏りはするし、すきま風は入るが、だれにも犯されない安全な場所だった。

無認可作業所は、確かに歪なシステムだった。ただ、それを利用しなければ一定の運営資金を得ることができず自然消滅を待つだけだ。私は、無認可作業所を認めてもらうために、大阪市役所の福祉課に出向き、運営内容、利用者の障がい種別、出席状況などを報告した。

幾度となく通ったが、窓口の職員はノラリクラリとした対応だった。なかなか無認可作業所を認めようとしない。一定の金額が地方公共団体の財布から捻出されるのだ、なんとか水際（みずぎわ）で阻止したいのだろう。相手も必死だったに違いない。押し問答のあげく、半年間の試験期間を自費でおこなった後に判断しましょうということになった。

すでに、運営資金が底をついていたアトリエ万代倉庫にとって、半年間はとても長い期間だった。試験期間をもうけることにより、行政は運営者である私が本気で立ち上げたいのかどうかを判断したかったのだろう。それはアトリエ万代倉庫の存在意義や価値を推し量ることが目的ではなかった。

遅々（ちち）として進まない行政事務と冷ややかな職員の対応。私が声を大にして申し立てなければ、職員は書類を見せてくれることも手続きを開始してくれることもなかった。これが「申請主義」だ。社会にとって必要な施策なら行政と市民がタッグを組んで行えばいいはずなのに……。行政の執行システムに疑問がわいてきた。

私に対応した職員がたまたま無気力で消極的なだけだったのかもしれない。ただ、これもご縁。不思議なものだが、行政の無気力ぶりと無関心ぶりとは逆に、無認可作業所が認められるための材料が徐々に揃ってきた。まずは、消滅寸前のアトリエ万代倉庫に一人のスタッフがやってきてくれたこと。そして半年間を持ち堪える収入源が生まれたことである。ただし、秘密基地に集うアーティストたちは、消滅寸前の状況などどこ吹く風で作品づくりに集中していた。

福の神とイマナカデザイン

アトリエ万代倉庫の初めてのスタッフとの出会いは、アーティスト同様とても不思議なご縁だった。乃村工藝社の仕事が立て込みアルバイトを募集した。私がデザインしたスケッチや図面を元に模型をつくったり、簡単な図面をＣＡＤ化する人間が必要だったのだ。友人が建築の専門学校の講師をしていたので、いい学生がいたら紹介してほしいとお願いをしていた。

数日が過ぎただろうか。一人の女性が面談にきた。福の神のようなしあわせそうな顔をした神谷梢（かみたにこずえ）だった。自身が思い描いた建築物のスケッチを持参し、プレゼンテーションをしてくれた。昼間は、四年制大学で社会学部に通いながら、建築の専門学校の夜学に通っているという。

実は、彼女が来る前日にアルバイトは見つかっていた。しかし、あまりに熱心にプレゼンテーションをしてくれるので、その話をさえぎり、アルバイトは決まったことを伝えるタイミングがつかめなかった。申し訳ないと思いながら最後まで話を聞き、その場は帰ってもらった。

翌日、謝罪の電話を入れたとき、「個人的にベーカリーショップをデザインしてくださいと言われているんやけど、手伝う？　小さな物件なのでお給料は支払うことはできへんけど」と話すと、彼女は即座に「お願いします」と返事をした。こうして彼女との二人三脚の仕事が始まった。

ベーカリーショップは、障がい者が運営する店だった。予算が少なすぎて乃村工藝社では受注枠に入らなかった。そこで「イマナカデザイン一級建築士事務所」をつくり、そちらで引き受けた。そもそも企業に勤めながら個人事務所をつくるなど言語道断といわれても仕方がないのだが、乃村工藝社の面々は見て見ぬふりをしてくれた。寛容というか、私がおこなっているすべてを受容してくれていた。

インハウスデザイナー（企業内デザイナー）として長年働いていると、だれが本当のお客様かわからなくなる。交渉相手は仕事の担当者であり、自身が身銭を切っているわけではない。オーナーと直接打ち合わせをし、お金をもらうことはない。一つの仕事が終わらないうちに次の仕事が生まれ、いつも複数の仕事が並行して進む。その繰り返しの中で仕事に対する喜びが薄らいでいく。感情を取り戻させてくれるのがお客様からの「ありがとう」という言葉だ。

しかし、企業相手の仕事では「お疲れさま」と言われても「ありがとう」と言われたことは一度もない。ベーカリーショップやその後で受けた保育園のデザインは、予算だけ考えれば乃村工藝社の仕事の十分の一以下だろう。規模が小さい分、身銭をきるオーナー個人と対しながら仕事を進めることができた。初めて仕事で「ありがとう」と言われたことが無性に嬉しかった。その収入はアトリエ万代倉庫を半年間続けるための資金となった。

乃村工藝社のアルバイトになりそこねた福の神は、ベーカリーショップ以降、私の個人的な仕事すべてに参加してくれた。いつか弱音を吐くに違いないと思っていたが、彼女は気丈にも食らいついてきた。そして今では私の右腕以上の存在となった。さらに彼女は次々と福の神のようなスタッフを連れて来てくれた。ご縁とは摩訶不思議なものだ。

国家が背負うべきもの

日本は、失われた十年を経て福祉事業の民間開放に大きく舵(かじ)を切った。二〇〇〇年の社会福祉基礎構造改革で社会福祉事業や社会福祉法人、措置制度など社会福祉の共通基盤制度について見直しが行われる。「個人が尊厳を持ってその人らしい自立した生活が送れるよう支えるという社会福祉の理念に基づいて、本改革を推進する」と理念を掲げた。

改革のキーワードは「自立支援」。高齢者、障がい者、ホームレス、生活困窮者を納税者にすることが大きな目標となり、次々と法整備がなされていった。二〇〇二年には児童扶養手当の改正が行われ、二〇〇四年には生活保護法の改正、二〇〇五年には障害者自立支援法が成立（〇六年四月施行、一〇月完全施行）した。

二一世紀に入ってグローバリゼーションと少子化、脱工業化により、従来の国家主導の措置型福祉も崩壊した。財政破綻をきたした国家は主導的な立場から後退し、民間主導の施策を重視するようになってきた。非営利組織の活用も、民意だけではなく、国家の財政破綻が大いに起因している。

障がい者の分野でいえば、障害者自立支援法の成立で営利企業が一気に事業参入してきた。認可された社会福祉法人と認可されていない無認可作業所、そして営利企業。選択肢を増やすという意味では成果があったが、私は事業の永続性を担保できない営利企業の参入に危惧を覚えていた。

行政改革が進むなか、アトリエ万代倉庫も転機を迎えた。無認可作業所設立から五年を経過し、一定数の障がい者がいる団体は社会福祉法人として認可されるというのだ。当時は公的な機関から優先的に借り入れをすることもできた。自己資金のほとんどない団体には大きなチャンスだった。

私は、「福祉」は「国家事業」として行うべきだと思っている。正々堂々と税金を使って行うべき事業なのだ。いかに社会が市場化し、人の心が変容しようと、「福祉」は国家が背負うべきものである。国家が認めない無認可作業所や事業の永続性を担保しない営利企業がその大半を行うべきではない。安易な民間活力の利用は国家責任を後退させ、貧富の差を拡大させ、富める者が救われ、貧しい者が排除される社会になる。

乃村工藝社のデザイナーとして企業のショールームや展覧会をデザインする私。イマナカデザイン一級建築士事務所の主宰者として福祉施設をデザインする私。無認可作業所アトリエ万代倉庫を運営する私。私は複雑に折り重なりながら、「社会システムをデザインする」意味を考え始めていた。

環境を整えるのみ

王としての徳を備えた人

「社会システムをデザインする」ための母体が二〇〇二年九月に誕生した。国家に認められないアトリエ万代倉庫は、国家が認めた社会福祉法人 素王会として生まれ変わった。

「素王」とは、春秋時代の中国の思想家で儒家の始祖、孔子をいう。孔子は王の位はないが、王としての徳を備えた人と称された。それはまさしく私のまわりに集うアー

ティストである。圧倒的なクリエイティビティを備えながらも、「われさきに」など
と我欲にまみれることなく、淡々と作品をつくり続ける。

孔子の倫理的な目標は仁とされる。仁は、人が本来的に持つ慈悲深い心である。孔子は、仁の実践を忠恕とし、真心と思いやりを実行せよと説いた。また孔子は、人として行うべき行為を「道」と説き、道を学ぶのが君子であるとした。孔子の教育の目的は、君子の養成であり政治を行う人材を育てることだった。

アーティストは、孔子が求めた「礼をまなびつつ、仁をめざし、道を実践する君子」を育てようとしているのではないか。時には言葉を発せず激しいからだの動きで、時には無言で私の目をじっと見続け、「学びとれ」と言っているようだった。過去の芸術の歴史にとらわれず、トレンドや人の目を気にせず、描きたいから描く。そしてコトやモノの本質を見抜き、私に届けてくれる。

野球用語で内角をえぐる球をインカーブと呼ぶ。回転によって変化が生みだされた球は魔球となり、意表をつき、打者をのけぞらせる。からだに向かってくる魔球に恐怖を覚え、尻餅をつく打者もいる。一五〇キロを超えるスピードはないが、緩やかなスピードで空振りをとる。二〇〇三年四月、社会福祉法人 素王会の事業本部兼アートスタジオとして通所型の「アトリエ インカーブ」が誕生した。またインカーブを補完するかたちで、ギャラリー事業部の「ギャラリー インカーブ」と出版事業部の

「ビブリオインカーブ」が設立された。

アーティストは、月曜から土曜の午前一〇時から午後三時までインカーブに通っている。なかには休日に美術館や動物園に付き合ってほしいというアーティストや家事援助が必要なアーティストもいる。そこで、地域生活支援事業部として移動支援や身体介護、家事援助を行う「バッテリー」を設立し、包括的にアーティストの生活を支援できる体制とした。

無認可作業所のアトリエ万代倉庫から認可施設のアトリエインカーブとなり、環境が大きく変化した。アーティストも二〇名を超え、スタッフも法令によりアーティスト数に準じる形で増加していった。

しかし、アーティストもスタッフも「その道」の人ではなかった。アーティストは絵の描き方を教わったことのない人ばかりで、絵の具の種類や筆の使い方、紙の表面のテクスチャーによる違いも知らない。芸大や美大で刷り込まれる「悪(あ)しき常識」に感染することなく素のままに描いてきた人たちだった。それゆえに絶対的なオリジナルをつくれる可能性があるのだ。過去の記憶を再構成しているだけの「アート」ではない。

スタッフも「机上の福祉」を学んでいない人を集めた。身体障がい者とは……、知的障がい者とは……、ケアの仕方は……、そんなことを知らないスタッフがほしかった。障がいに着目する前に彼らの作品に感動できる人。彼らに愛してもらえる人。ゆっくり時が流れる中でダウン症とはなにか、自閉症とはなにかを真摯に学んでくれるスタッフがほしかった。既知の事実を拾い集め、知ったふりをするより、未知の事実に素直に驚く人は素敵だ。答えを出せる人より、問いを立てることができる人であってほしいと思った。

福祉を未知化できるアーティストとスタッフが揃った。これ以上ない豪華なラインナップだった。現在、私はインカーブのスタッフに「芸術」と「福祉」の二つの素養を身につけるように要求している。素養の基礎を資格取得に置いている。一つは学芸員。もう一つは国家資格の社会福祉士である。インカーブの事業では「芸術」と「福祉」の理解は不可欠である。資格はあくまで知識であり知恵でないことは重々承知しているが、「芸術」と「福祉」の共通認識を蓄えるという意味では有効だと思う。大半のスタッフがこの二つの素養を身につけている。

かたのないこと

私は二〇年以上、建築やインテリア、ディスプレイなどの空間デザインの仕事に携わってきた。企業の展示会に始まり、ショーウィンドウ、ショールーム、博覧会。人の目やトレンドを意識し「かた（形・型）」をつくってきた。

空間デザインの集大成としてアトリエ インカーブの建築を考えた。初期のラフスケッチから図面化、現場、オープンまでの三年半の月日が流れた。辿り着いた空間デザインは、「かたのないこと」だった。「かた」は、スポーツや芸道で言えば規範とされる一定の体勢や動作をいい基本の姿をさす。所作(しょさ)と言い換えてもいいだろう。「かたのないこと」とは水のようなものである。水は、四角の器に入れば四角に、丸い器に入れば丸に、自由自在に柔軟性を発揮してそのものに成りきる。アーティストの意識や態勢、動作に合わせて空間も変容する。そんなデザインを目指したかった。

米国からユニバーサルデザインという言葉が、英国からインクルーシブデザインという言葉が輸入された。「年齢や性別、身体の能力にかかわらず、できるだけ多くの人が身体的にも精神的にも苦痛を感じることなく、快適に暮らしていける環境や社会を作っていく」というのが両者に共通する目標だ。

ただ、ユニバーサルデザインもインクルーシブデザインも対象者を「すべての人」としているのではない。また身体障がい者が中心で知的障がいや精神障がいがある人は周縁に追いやられている感もある。私は、二つのデザイン思想を、「多様な身体能力の人」に対応するために「一部の身体能力のない人」に対して「どの程度の排除を許すか」を「正当な理由」で決定するものだと考えている。

不特定多数の人を受け入れなければならない公共施設や商業施設では、「どの程度

アトリエ インカーブ

の排除を許すか」の決断が必要になる。

しかし、アトリエ インカーブのようにアーティストが固定されている施設では、排除の決断は必要ない。その人のために、その人が望む空間デザインが可能なのだ。時間をかけて一人一人と対話しながら空間をつくっていく。ゼネコンが合理的な施工法で短期間に片付ける仕事ではない。手作りの木の椅子をつくるように「ああでもない、こうでもない」という迷いが許されるのだ。

オープンまでに完成させるべきは、建築の構造と電気、水道等の設備系。内部はスケルトンのままでいい。時間が経過すればアーティストの意識も態勢も動作も変容する。それに合わせて家具的な装置で空間を仕切ったり開放させながらつくり込めばいい。

障がい者のなかでも身体障がい者のための建築や内部空間の法整備は、満足とは言いがたいがある程度進んでいる。しかし、知的障がい者や精神障がい者のそれに対する法整備はほとんど手つかずのままである。それは日本に限ったことではなく、欧米もしかりである。理由は至極明白。国に対して声をあげられる人間、もしくは国の施策に決定権を持つ人間に知的障がい者や精神障がい者はおらず、身体障がい者は多い。原因はそれだけだと、私は考えている。

知的障がい者に対応する空間デザインの要はコミュニケーションだ。強制的に導くのではなく「阿吽（あうん）」の呼吸で感じてもらえるような空間とは何か。アトリエ インカーブでは、「阿吽」のコミュニケーションを自然な視線移動と開放、ビジュアルで考えてみた。吹き抜けと中庭、開放的な窓で視線を開放し、各階に配置された落書き用の大きな黒板は、ノンバーバルなアーティストやコミュニケーションが苦手なアーティストでも絵や言葉にならない呪文のような言葉で意思を伝えられるようにした。

またこれ見よがしの「障がい者用デザイン」を避けた。私たちは彼らを十二分にケアしています、と言いたげな車椅子用の大きな幅木（はばき）。機能的で視認性さえ確保できていれば文句はいわれない、と言いたげな毒々しい館内サイン。公の施設にありがちなデザインはすべて避けた。

しかし、同時に私が意識してつくったアトリエ インカーブは彼らを支配しているのではないかという疑問もわいてきた。「私たちの意識は秩序を好み、行き当たりばったりを嫌う、という性質もある」と養老孟司（ようろうたけし）氏は語っているが、意識に支配されすぎた世界が中心と周縁を峻別（しゅんべつ）し、その結果、貧富の差が露呈したのではないか。意識に支配されすぎたデザインは暴力的だ。すべてのコトとモノの生産にスピードと成果を求め、迷うことを許さない。

迷いを生む葛藤は、人間に与えられた「らしさ」でもある。迷いや葛藤を包含する世界を排除しないためには、意識に支配されすぎず、水のように「かたのないこと」

が必要なのだ。

「一般的なコト」と「特別なコト」

デザイン教育には、徹底したトレーニングが必要である。他方、アートには教育自体が馴染まない。当然、アートに芸術大学の受験対策のような画一的なトレーニングは必要ない、と私は考える。

私はいま、情報デザインを学ぶ大学生に対して教鞭をとっている。多くの学生は、パソコンを操作したり、模型をつくる作業の時間をたくさんとりたがる。自分の思いを深めることより、テクニカルなことに執着する。自己表現と自己満足を性急に求めようとしているようだ。

表現することは重要である。しかし、デザインは表現だけでは成り立たない。アイデアがなければ空疎なものとなってしまう。アイデアと表現の両輪がそろってデザインは成り立つのだ。

デザイン教育の第一歩は「アイデアトレーニング」である。広告会社電通クリエーティブディレクター、金沢美術工芸大学教授を経て、現在、大阪成蹊大学芸術学部の教授である恩師、秋草孝氏はその著書『見えるアイデア』(毎日新聞社、二〇〇八年)の中で、アイデアが成り立つ条件として三つのキーワードを提示している。

「アイデアとは、ある〝共通認識〟に、新たな〝意味のある変化〟をもたらし、結果として、〝なるほど〟を生むことである」。「共通認識」とは人々の記憶であり、「意味のある変化」とは関連性やつながりをいい、「なるほど」とは共感反応を意味している。

アイデアは白紙から生まれるものではない。まず共通認識が必要なのである。すなわち人々が当たり前に認識している過去から現在の事象や事物を知り、それに意味のある変化を与えなければ「なるほど」とはならない。

またデザインは社会に対して発信するものだ。独りよがりのコトやモノは社会に理解されない。いつも自分の中に他者の目を用意できる人間がデザイナーだとも言える。では、アートはどうだろう。アトリエ インカーブのアーティストを見るかぎり美術教育は必要ない。そもそも、アートは個と向き合うことである。自分の中に他者の目をもち、社会に迎合して評価を求める必要はない。そんなことはデザインの世界に任せておけばいいのだ。

特別支援学校（旧、養護学校）から教員や福祉関係者が見学に来ることがある。彼らの口から出る言葉には辟易（へきえき）する。第一に「この子」。次に「○○させる」。そして「一般的なコト」である。特別支援学校の代表的な業界用語なのだろうか。

一八歳で特別支援学校を卒業し数十年経つ人に対して「この子」という言葉が平気

で出てくる。愛する感情がそうさせるのか。教員の表情を見ていると、そうとは思えない。「絵を描かせる」「言葉を勉強させる」「トレーニングさせる」など、命令口調で話すことが多い。上からの物言いは、障がい者を管理下に置いているように聞こえる。

「一般的なコト」を福祉関係者は目指す。それは、特別支援学校だけではない。厚生労働省も一般就労を目指し、親も一般社会を目指し、企業も「一般的な仕事に通用する障がい者なら雇用できます」という。「一般的な」世界への迎合が障がい者への強制的な教育になっているのである。

「一般的なコト」は、デザインの世界の「共通認識」と言い換えることができる。デザインでは大切なことだが、アートの世界では弊害になる。そもそもアーティストは、「一般的な自分」ではなくて「特別な自分」を表現したいのではないか。社会に迎合していてはアーティストになれるわけがない。

旧態依然とした美術教育を受けた教員が手を出すと、教員と同じような作品をつくってしまう可能性が高い。少なくともその教員を上回る作品はできない。

アトリエ インカーブのアーティストが天から授かった能力は、「一般的なコト」に馴染みにくい。そのかわり「特別なコト」を可能にする力がある。彼らには、教育や管理の強制ではなく、自由に描くことができる環境があればいいのだ。ただそれだけで、天から授かったクリエイティビティは開花すると私は信じている。彼らと出会って、デザインとアートに関する私の教育観は一八〇度変わった。

何もしない

私は、小学校のころから朝礼や卒業式などの式典が苦手だった。教員が高い朝礼台に登り、命令口調で話しかける。私たちを一列に整列させ、隊列が乱れると怒鳴り、時には手を上げる。いつも私は、「あんたは何様や」という目をして斜に構えていた。扱いにくい子どもだったに違いない。そもそも、私は子どものころから「先生」という言葉の響きに違和感を覚えていた。だからいまでも、「先生」ではなく「教員」と呼ぶことが多い。

特別支援学校の「先生」がインカーブに見学に来たときだった。卒業生のアーティストと顔をあわせた瞬間、アーティストの表情が一変した。それまでは笑顔があふれ制作に没頭していたのだが、「先生」の姿を見るや否や、緊張した表情になり、制作する手が止まってしまった。あるアーティストは「先生」の目を異常に見つめていた。笑顔は消え、「先生」からの指示をじっと待っている。

「先生」の指導管理がいかに行き届いていたかがわかった。クリエイティブな能力を開花させるには指導管理は大きな弊害となり、アーティストの能力を奪い取ってしまう。特別支援学校の美術の「先生」には「学校では何もしないでください。絵の描き方など絶対に教えないで」とお願いしている。ある「先生」はアメリカの画家・美術教育家のA・H・マンセルが考案した表色系を使い、色の三属性（色相、明度、彩度）を描かせる授業を行っている。きっと「先生」の言うことなら素直に従っているのだろう。悲しいことである。

私も含めインカーブのスタッフに「先生」は存在しない。世間で「先生」と呼ばれている人もインカーブの敷地に入れば「〇〇さん」である。

インカーブでは、アーティストに美術的な教育を一切行わない。絵の具の溶き方も、筆の使い方も、紙の選択も指示しない。手の届く所に絵の具や筆、紙を置いておくだけである。何を選択し、どのように組み合わせるかはすべてアーティストに任せている。選択することが困難なアーティストにはスタッフが手を貸す場合もあるが、「描くもの」には絶対に手も口もださない。空想の中でモチーフを見つける人、図鑑から選ぶ人、インターネットで探す人、こっそり隣の人のモチーフを盗む人……いろいろあっていいのだ。

私は、インカーブが誕生して間もないころ大きなミスを犯した。一人のスタッフが、色分割を使った描き方を、アーティストに教えてしまったのだ。色分割とは、小学校の高学年の図工の授業で行われる幾何学的形態の作図と分割による色面つくりである。

幾何学形態の作図と彩色の正確さを求める課題だ。以降、そのアーティストは、色分割を施した画面を執拗（しつよう）に描くようになった。彼は、色分割を教えたスタッフがとても好きだったから色分割の方法も素直に受け入れ、記憶の奥深くに留めたのだろう。天からもらった能力は色分割のような小手先の技法ではなかったはずだ。私は、取り返しのつかない「指導」を見逃してしまった。

誤解を怖れずにいうと、スタッフはあまりにアーティストと一心同体になってはいけないと思っている。半歩ではなく、二歩下がって、待つ。がんばって、待つ。その間合いがとれるかとれないかが、できのいいスタッフかできの悪いスタッフかの違いである。できの悪いスタッフは、すぐに手を出してしまう。結果をすぐに求めてしまう。できのいいスタッフは、何時間でも待つことができるのだ。

インカーブには「先生」も「教えること」も「指導」も存在しない。

育とうとする力

行動主義心理学のバラス・スキナーが研究した、「オペラント条件付け」の強化スケジュールという行動療法がある。強化スケジュールとは、正反応に対して強化子（報酬）を与え、目標とする特定の行動に近づけるよう「強化」して導いていくことだ。このような行動療法が中度・重度の自閉症の人に行われることがある。

また軽度の自閉症や発達障がい者にソーシャルスキル・トレーニングを行う場合がある。トレーニングの流れは①教示、②お手本の提示、③練習、④評価、⑤日常的な定着である。「強化」の違いはあれど「強化スケジュール」も「ソーシャルスキル・トレーニング」も「アメとムチ」であることに変わりはない。

そもそも自閉症とは親の育て方や環境に起因するものではない。生まれつきの脳機能障がいである。知的障がいとは別の障がいだが、自閉症の七割が知的障がいを合併している。知的障がいは能力の「おくれ」であり、自閉症は能力の「かたより」だ。

私は、以前から「アメとムチ」によるクリエイティビティは圧倒的な力を持っている。「おくれ」や「かたより」の行動療法に対して違和感を持っていた。褒めることで上下関係が生まれるのではないか。支配する者とされる者は上下関係を強化し、「逆らってはいけない存在」としてインプットされていくのではないか。つば吐きや自傷、他傷などいわゆる困った行動（問題行動）を強く叱ることで抑え込もうとする。

しかし、その行動の持つ機能と目的を探ってみることが必要である。自閉症者は、ノンバーバルな人が多く、言葉を介したコミュニケーションが難しい。ゆえにそれらの多くの行動は、コミュニケーションとしての機能を持つのである。

褒められることは脳科学的にもいいらしい。モチベーションを上げ脳が活性化するといわれている。だが、「褒められ依存症」になってしまうと自立心が育つ上で影響が出る。コントロールをしたがるのは親も教員も同じだが、行き過ぎは彼らを操り人形にする恐れがある。

障がいの有無にかかわらず意思や意見、そして育とうとする力は必ずある。「アメとムチ」でコントロールするより、育とうとする力を手助けするほうがいい。手助けは、環境をつくることだけに徹することだ。野球でいえば整理整頓されたグラウンドがあればいい。マウンドが乱れればトンボでマウンドの土をならせばいい。決してまわりの黒子が出しゃばって、手取り足取りの指導をしてはいけない。

ただ、グレーゾーンと言われる軽度の知的障がいの人への対応は非常に難しい。スタッフや親が距離を持って接すると、気にかけてくれないと不信感を持ち、声をかけるとプレッシャーに思う。時には制作をやめてしまうこともある。よかれと思った言葉や行動が彼や彼女の心を傷つける可能性を孕(はら)んでいるのだ。手を出さない環境づくりがすべての人にフィットしているとは限らない。ここでも十人十色なのである。

第五章　バイアスを解く

精神科医・式場隆三郎

山下清との出会い

ここで戦前の日本の歴史から、非アカデミックな芸術と障がい者の関係を拾ってみよう。

この関係に対して最も早い時期に関心を持ったのは、精神病理学者の式場隆三郎（一八九八－一九六五）だった。式場は、新潟大学医学部（当時は新潟医学専門学校）を卒業後、白樺派の作家たちや柳宗悦、バーナード・リーチなどと親交を持ち、文学に傾倒していく。将来の道を文学にするか医学にするか迷った末、精神医学の研究に専念することを決心し、一九三六年、式場病院（当時は国府台病院）を創設した。

芸術と人の精神とのかかわりに関心を持つようになった式場は、精神病理学の立場から、白樺派のメンバーが崇拝していたてんかん発作のあるゴッホの研究に取り組むようになった。また放浪の天才画家とうたわれた知的障がいのある山下清を支援したことや、怪建築「二笑亭」を建てた精神病を患う渡辺金蔵の記録「二笑亭綺譚」を遺したのも彼の大きな業績である。また晩年、アルコールと梅毒に冒され精神病を患ったロートレックの研究も熱心に行っている。

芸術と人間そのものに興味が注がれていくなかで、千葉県の福祉施設八幡学園で生活をしていた山下清の才能に注目し、医学、文芸、芸術を超えた「福祉的な企て」を行うことになる。式場が山下を知ったのは、式場病院を創設し八幡学園の顧問医師になったころだと思われる。

一九二二年、山下は東京の浅草に生まれた。三歳のときに重い消化不良になり三か月後に完治するが、後遺症として言語障がいと知的障がいが残った。山下が一〇歳のときに父が他界。その後、母は再婚するが二年後に離婚。母子家庭となった子ども時代は恵まれた環境とは言えなかった。

小学校時代、障がいを理由にいじめにあい、しだいに人間嫌いになっていく。知的に障がいはあったものの記憶力は抜群で、それが後に彼が絵を描く上で大きな助けとなった。

その後、八幡学園に入所してカリキュラムの一部だった「貼絵」と出会い人生が変わる。農作業や縫製作業が苦手だった山下は、園長から「ちぎり絵」の「教育的指導」を受けるようになる。『山下清展』の図録（山下浩監修、山下清作品管理事務局、二〇〇八年）には、当時の山下の日記がこのように紹介されている。「園長先生は僕をこの子は　勉強でも　用事でも　何でも出来ないので　何やらしても満足に出来ないのでこの子に何をやらしてやろうかと考えて　少したってからこの子に色紙で絵を貼らしてやろうかと言って　園長先生が僕に大きい画用紙を出してここへ戦争の絵を貼れと言って　僕は学園に来てから　色紙で絵を貼るのは　初めてで　色紙で絵を貼るのは珍しく思って居ました」。

初期の貼絵は、蝶や蟬、蛍など身近な昆虫がほとんどだったが、次第に学園の生活を描くようになっていく。学園にも慣れ描く対象が変化することは自然なことだと思うが、絵のテクニックが短期間に劇的に変化していることは不思議である。特に一九三七年の一年間で、大きな色紙を使った作品から細かい点描のようにちぎられた色紙へと変化していくが、そこには何らかの「教育的指導」があったのではないだろうか。

他の入所者のような作業が苦手だとする山下にも「何かさせなければ」という思いが園長に働いたことは容易に想像がつく。現代の福祉施設でも、絵画活動を単純作業の空き時間を使った趣味的活動と位置づけているところがほとんどである。

強制された制作意欲

一九三八年、早稲田大学大隈講堂で山下の貼絵を中心に八幡学園生の「特異児童作品展」が開催された。翌年には、山下の単独展が行われ、安井曾太郎などの洋画の巨匠が絶賛している。同年、式場は「異常児の絵」という文章のなかで山下を紹介した。

当時の山下は、画家としての意識は芽生えておらず、園長の「教育的指導」により貼絵を制作していたに過ぎなかったと思われる。山下は、式場や洋画界の異常な注目をどのように感じていたのだろうか。学園は、山下をどのように守っていたのだろうか。

学園に入り六年の歳月が過ぎた一九四〇年、突然、山下は学園から姿を消す。日記に「僕は八幡学園に居たので　春になって暖かくなると　出かけるくせがあるので出かける前には　学園に居て　毎日貼絵をやったり油絵具をやって居る生活と　毎日るんぺんをしている生活とどっちがいいか　とよく考えて居ると　どっちも楽しい時と　苦しい時もあったり　どっちも食べて行かれるから五分五分と思うから　自分の好き好きだから　どっちにしようかと迷って居た」と書いている。

自由気ままな放浪の旅とする向きも多いが、私はそうは思わない。孤独な子ども時代から一変し、画家としての意識もない山下は、まわりの大人たちの過熱ぶりに恐怖を覚えただろう。放浪の旅は、一九五四年まで断続的に続き、旅に飽きれば家や学園に戻るという生活を繰り返した。放浪することによって精神状態のバランスをとっていたのかもしれない。

また学園は山下清に「放浪記」を書くように義務付けている。これも「教育的指導」の一環だったのかもしれない。貼絵の導入、日常生活の記録。学園の管理は、障がい者を更生させる働きの一端がうかがえる。

放浪の旅に出て初めて自由を手にした山下は、貼絵の表現を一気に成熟させていく。もっとも、旅先で制作をすることはなく、風景や体験を記憶に刻むだけだったようだ。そして、学園に戻ったときに記憶をもとに鉛筆画や貼絵を制作した。なぜ、旅先で制作しなかったのか。きっと、制作は、「学園で行うべき作業」だと理解していたのではないだろうか。当時の山下に宿っていたのは無垢なる制作意欲ではなく強制された制作意欲だったように思う。

放浪の旅を繰り返す山下が三一歳のとき、貼絵に感嘆したアメリカのグラフ誌『ライフ』は、放浪する山下を捜索しはじめた。また朝日新聞も全国網を使って捜索に乗り出す。式場は、朝日新聞社の社会部から、山下の放浪を止めさせ継続的に画作生活を行わせるようにしたいと相談を受けた。その後、学園と打ち合わせを行い、ラジオや新聞で山下を探す全国運動に取りかかっていく。

まもなく、鹿児島の高校生に発見され、長い放浪生活に終止符が打たれた。しかし、はたして山下を指名手配のように探す必要があったのだろうか。山下自身は、静かに放浪の旅を続けていたかったのではないか。ジャーナリズムの対象として山下が利用されたことは明白だろう。

では、なぜ式場はジャーナリズムに加担したのだろうか。式場は一九二九年のヨーロッパ視察旅行でゴッホに関する膨大な資料を収集し、一九三二年に『ファン・ゴッホの生涯と精神病』を発表してからも次々とゴッホに関する文章を発表した。一九五三年には「ゴッホの誕生百年祭」として新聞やラジオの力を駆使し、全国にむけてプロモーションを仕掛け大きな反響を呼んだ。すでにゴッホ研究の第一人者として名声を得ていた式場が、山下を利用して売名行為を行うとは思えない。

物心両面から山下を支援する式場の活動は、医学、文芸、芸術を超えた「福祉的な企て」と捉えることができる。医者・病的絵画の研究者としてではなく、慈悲に満ちた式場の善意から山下の伴走者となったのだろう。

しかし、あまりにもジャーナリズムに傾倒していた式場の戦略は、美術界から非難を浴びることになる。医学が本丸の式場は、医学に留まるべきで作品の評価をすべきではなかったのだ。作品を収集するアートパトロンに徹しきれず、慈悲に満ちた式場の善意が、山下と日本の美術界の齟齬(そご)をきたす要因になったと私は考えている。

二笑亭綺譚

式場は山下と出会ったころに、東京・浅草に渡辺金蔵が建てた「二笑亭」の調査を行っている。精神病を患って入院していた渡辺に面談を行うとともに、禁治産(きんちさん)申請を担当した精神科医から検診記録を入手し、家族の精神病歴や気質、趣味、病症の発現にいたるまで克明に記録していった。

渡辺は浅草の地主で十年の歳月をかけて怪建築「二笑亭」を建てた。式場は建築の専門家とともに「二笑亭」を訪れ、一九三七年に調査報告を「二笑亭綺譚」として『中央公論』に発表している。式場は物心両面で支援した山下の場合と違い、渡辺の怪建築「二笑亭」のコンセプトと造形を蒐集(しゅうしゅう)したかったのではないか。これは研究者・蒐集者としての式場の業(ごう)と欲だろう。

式場は、「二笑亭後日譚」でこのように語っている。「私の夢は、あの建物をゆずりうけて、自分の病院の庭へ建てることだった。その中へ病的作家の傑作を飾って、特色ある小博物館をつくることだった。この夢も、二笑亭主人の夢とともに、はかなく消えうせた」(『定本 二笑亭綺譚』ちくま文庫、一九九三年)。

式場の欲に火をつけたのは、「二笑亭」主人・渡辺の精神病と奇々怪々な建築表現との関係であった。正面二階に配されたはめ殺しの大きなガラス窓三枚、入口に置かれた鉄製の半円形の雨よけ、裏門に出入りの邪魔になるように置かれた菱形の枠、ガラス入りの節穴窓を空けた室内の壁、和式洋式の風呂を隣に並べた和洋合体風呂、屋根をこえてただ単に空に伸びるはしご、傾いた違い棚、土蔵の中の床から天井に伸びる昇れないはしご、奥行きが異常に浅く使いようのない押入、扉が下半分しかない便所など。常人では考えられないデザインがほどこされている。

式場は、渡辺がつくり出す建築表現を高く評価し「超現実主義と抽象主義の画家たちが、早くも二笑亭に注意を向けている。象徴としてみたこの建築は、全体的にも部分的にも、幾多の問題を包蔵（ほうぞう）している。かれらの作品とこの建築の間に、どんな共通点があるか、相違があるかも、興味があろう。十余年の情熱を傾けてつくりつつあった二笑亭は、浅い模倣や一夜づけの思いつきで制作される芸術作品の遠く及ばないものがある」と書いている。

山下の貼絵には、斜めをむいた人間は存在しない。すべて正面か真横をむいている。このような表現は、ギリシャの古代絵画にもみられ、プリミティブな画家の特徴である。それ以上に特筆すべきは、山下の絵全体を支配する「緩い空気感」である。それは、知的障がい者が描く絵の大きな特徴だ。他方「二笑亭」の建築は人を寄せ付けない「鋭利な刃物のような空気感」が特徴である。

式場の医者としての善意は、山下の貼絵を福祉的な啓蒙（けいもう）普及活動へと誘ったが美術界を遠ざける結果となった。一方、研究者・蒐集者としての式場は、「二笑亭」の芸術的評価を美術界、建築界に委ねた。現存していたら、シュヴァルの理想宮をしのぐ日本の財産となったはずである。

式場のような芸術の部外者の過大な評価は内部の者の過大な反発を招く恐れがある。既得権益を侵された美術関係者は、式場を黙殺した。もしも式場が山下を「福祉的な企て」としてではなく支援していたら、現在の日本の「障害者アート」は存在しなかったかもしれない。もしも式場の活動に共鳴する前衛芸術家がいたら、「二笑亭」は現在も浅草に残っていたかもしれない。

ピカソがアンリ・ルソーを、ジャン・デュビュッフェがアール・ブリュットを発見し認めたように、当時の日本美術界に彼らの価値を認めた芸術家がほとんどいなかった。それが残念でならない。

誤解された対話

外野の騒ぎかた

式場がゴッホや山下、渡辺の研究に取りかかるより前、ドイツでは精神病理学者ハンス・プリンツホルンによる『精神病者の芸術』（一九二二年）が著されていた。この本は、一九二〇年代初頭、ドイツのハイデルベルク大学附属精神病院に勤務していたプリンツホルンが、ヨーロッパ各地の精神病院をまわって精神病者約五百人から五千点近い作品を蒐集したのだ。病理学的見地だけではなく美術的見地からも分析した書物である。

このような作品が当時の前衛芸術家に与えた影響は大きかった。それらはドイツ出身の画家マックス・エルンストを通じてフランスのアバンギャルド芸術家たちに渡り、シュルレアリスムの芸術家たちを中心に多大な影響を与えた。

当時のヨーロッパの前衛芸術家は、フォービズムやキュビズム、ドイツ表現主義を通して「プリミティブなアート」に傾倒していく。ピカソやモディリアーニはアフリカの民族芸術に、ロートレックは日本の浮世絵に創造の源泉を求めていた。

また、フロイトの精神分析学に触れたアンドレ・ブルトンは、人間を破壊に追いやった西欧近代文明社会を痛烈に批判。一九二四年、「シュルレアリスム宣言」を起草し、霊的幻視者や精神病者などの無意識下で行われる創作行為を参考に自動記述（オートマティスム）に言及した。

しかし、『精神病者の芸術』や「モダン・アート」は一九三〇年代半ばから哲学者や前衛芸術家の共鳴に反し、ナチス・ドイツから「退廃芸術」との烙印（らくいん）を押された。ことにアドルフ・ヒトラーは、一九世紀半ば以降の芸術を理解せず、とりわけ二〇世紀に入ってからのダダイスムやキュビズムは狂気であり堕落であり病的であると断言した。

ナチス・ドイツが開催した「退廃芸術展」で、プリンツホルンが紹介した精神病患者の作品は、「病的」であるという根拠を示すものとして提示された。それはまさしくナチス政権の人種浄化と優生思想に基づく政策に結びついた差別的な言説理論だった。「退廃芸術」を生み出すドイツ人芸術家や画商はナチスの迫害から逃れるために「プリミティブなアート」を携えてアメリカに亡命した。当時のアメリカは、近代社会に適応できなくなったアカデミーに代わる新しい芸術教育を必要としていた。

プリンツホルンの研究書は、ドイツで発刊されてから間もなく日本でも話題になっている。だが、当時の日本の前衛芸術家たちにとって「芸術の部外者のアート」は、ラディカルすぎて受け入れることはできなかったようだ。式場ひとりが、プリンツホルンの紹介にかかわっていたという。

日本でもヨーロッパでも非アカデミックな芸術に対する関心の端緒（たんしょ）は、精神病理学からもたらされたものだ。しかし、式場とプリンツホルンが次代に与えた影響は大きく異なっている。戦後、その価値を社会に訴えかける芸術家がほとんど存在しなかった日本。他方、戦後その価値を芸術のみならず政治にも利用しようとした貪欲（どんよく）なヨーロッパ。外野の騒ぎかたの違いが「プリミティブなアート」の方向を決定した。

時代的な齟齬

ヨーロッパでは、ハンス・プリンツホルンの研究を受け、アンドレ・ブルトンやシュルレアリスト、ドイツの表現主義者が二〇世紀前半の伝統的アカデミズムと闘った。なかでもフランス人画家ジャン・デュビュッフェ（一九〇一－一九八五）の闘いぶりは卓抜（たくばつ）だった。

デュビュッフェは、フランスの港町、ル・アーブルのワイン商の家に生まれ、第二次世界大戦後、四〇歳をすぎて画壇にデビューした遅咲きの作家である。しかし、その活動はめざましく、急激な変貌をとげる戦後ヨーロッパ美術において再出発点となったアンフォルメル（不定形絵画）運動を導き、アール・ブリュット（生の芸術）を宣言した。

彼は、一九四五年にスイスの精神病院を訪ねてヴェルフリ、アロイーズ、アントン・ミュラーの作品を見出し、この旅行中にアール・ブリュットという言葉を考案したという。アール・ブリュットという名前には、式場やプリンツホルンが称えた「病的な作品」「精神病患者の芸術」などの精神病理学的価値観を「芸術」本来の美的価値観に変容させる狙いがあった。

一九四八年には、アンドレ・ブルトンらとともにアール・ブリュット協会（カンパーニュ・ドゥ・ラールブリュット）を設立し、翌年ドロワン・ギャラリーにて「文化的芸術よりも、生の芸術を」を開催した。パンフレットには「アール・ブリュットは、芸術的訓練や芸術家として受け入れた知識に汚されていない、古典芸術や流行のパターンを借りるのでない、創造性の源泉からほとばしる真に自発的な表現」と記され、反文化的な価値が伝統的アカデミズムと闘う最良の手段だと考えられた。ここで注意したいのは、アール・ブリュットの制作者は、障がいのあるアーティストだけではないということである。アカデミックに毒されていなければアール・ブリュットの領域に入ると考えられていた。

その後、財政難やブルトンとの仲たがいによりアール・ブリュット協会は解散。コレクションはデュビュッフェの依頼で、アルフォンソ・オッソリオの住む米国ロングアイランドに渡り、デュビュッフェはこれらの作品の維持に頭を悩ませることなく自分の作品づくりに没頭する。

アメリカに渡ったコレクションは、一九六二年にパリに戻り、アール・ブリュット協会が再結成された。一九七一年にはスイスのローザンヌ市がコレクションを引き受け、一九七六年、「アール・ブリュット・コレクション」として正式にオープン。寄贈されたものを含めて収集品の数は加速をつけて増大し、アール・ブリュット・コレクションは五千点を超えた。近年、日本の作家も収集されている。

館長のルシアン・ペリーは、アール・ブリュットの作家に共通するキーワードとして「孤独、秘密、沈黙」をあげ、「だれにも知らせず、孤独のなか、自分で編み出した手法、自分が選んだ素材と題材で、密やかに作り続けられてきた。既成の美意識、社会的評価に惑わされることなく、描きたいから描き、作りたいから作る」と捉えている。デュビュッフェは、反文化的な価値をアカデミズムと対置することにより、芸術の純粋性を確保しようとした。ただ、現代はグローバリズムが席巻する二一世紀である。〝文化〟が介在しないところなどないといってもいい。

アトリエ インカーブのアーティストは、電車に乗り、インターネットや携帯電話で情報を発信している。「孤独、秘密、沈黙」のキーワードは前時代的である。

アール・ブリュットやアウトサイダー・アートを標榜することは、作品性を「ブリユット（なま、き）」や「アウトサイド」とカテゴライズし理性や社会の周縁に置くことになる。その限りにおいては、彼らを反文化的な人間として扱っているということを心しておかなければならない。

サイコアナリシスの弊害

「花を見ていて、横へ視線を移すと同じ花が出てきて、あっちに行ってもこっちに行っても全部花で、ウワー、大変だって逃げ出して、階段を下りようとしたら階段にもいっぱい花が付いていて。それから外を歩いていると、空が一面に真っ白になるの。なにかと思って、フッと見ると、私の幻覚がそこにパーッと出てて、それを忘れまいと思って家に帰って、スケッチブックにみんな描いて取っておいたの。その本が三冊たまって、病院にあるの」。精神科医斎藤環氏『アーティストは境界線上で踊る』（みすず書房、二〇〇八年）で紹介された前衛彫刻家・画家・小説家の草間彌生が十歳のころを回想したインタビュー記事である。

今や世界を代表するアーティストになった草間は、妄想や幻覚などの多様な症状を示す精神疾患の一つ、統合失調症である。医学が進歩した今日でもなお治療が困難な病であり、全人口の一%が発病すると言われ、決してまれな病気ではない。しかし、いまだ発病の原因さえ不明とされている。

草間は、子どものときのストレスフルな家庭環境が離人感を覚えた原因だと語っている。十歳のころから水玉と網模様をモチーフに絵を描き始め、水彩、パステル、油彩などを使った幻想的な絵画を制作していった。一九五七年渡米、巨大な平面作品、ソフトスカルプチャー、環境彫刻、ボディ・ペインティング、ファッション・ショー、反戦運動などさまざまな活動を行っていたが精神状態が不安定になり精神病院に入院。ニューヨークでサイコアナリシス（精神分析）を受診している。

当時を振り返って、サイコアナリシスについて草間が興味深いことを語っている。

「ニューヨークで六年間サイコアナリシスをやって、もういいというときになったら、もう絵を描く理由がなくなっちゃったの。（中略）サイコアナリシスをしてしまうと、全部発散しちゃって、絵を描く理由がなくなっちゃったの。治った時点で」。つまりサイコアナリシスが草間の創造性を疎外したというわけだ。

このような現象は、アール・ブリュットの作品にも言えないだろうか。デュビュッフェが作品収集に邁進（まいしん）した第二次世界大戦前後と、それ以降では作品の質が違う。つまりアール・ブリュットのアーティストたちがサイコアナリシスを受けたか受けなかったかが、タブローとしての作品に影響を及ぼしていると思われる。

一九五二年、世界初の抗精神病薬クロルプロマジンが開発され、日本でも一九五五年に使用できるようになった。それまで加持祈禱（かじきとう）などでしか対処されなかった精神障がい者に薬物治療ができるようになったのだ。統合失調症に効く薬が現れたことによって、精神科の医療は革命的な変貌を遂げていく。

カウンセリングと薬の併用治療は現代でも変わっていない。社会生活を円滑に行うための治療と作品の魅力は相反するのかもしれない。

作品と作家の関係性

現代美術作家加藤泉(かとういずみ)氏は、アウトサイダー・アートについて「アウトサイダーたちは、作品と対話せず、それゆえ作品とともに作家が変貌することがない」(『アーティストは境界線上で踊る』)と書いている。「作品と対話」することは、作者の生きた時代を享受するための社会への問いかけであり、他者の目を意識することとも言える。その一点だけに収束するならば、草間は周縁に位置するアウトサイダー・アーティストでもないし孤独、秘密、沈黙を好むアール・ブリュットのアーティストでもない。

草間の表現は、時代とともに多様に変容してきた。「サイコソマティック・アート」「ドライヴィング・イメージ」「レペティティブ・ヴィジョン」「オブセッション」。時代と他者を内包し時に破壊する行為は、「作品と対話」をしてきた証左だろう。

草間の入院生活は三十年以上に及ぶ。作品の創造性が統合失調症を起源とすることは疑う余地がない。その病(やまい)が重くなればなるほど草間の洞察力は磨かれる。幻覚や幻視が増せば増すほど、苦しみが増せば増すほど、作品は世界に評価され草間も満足するのだ。破壊を内在した行為は儚(はかな)いゆえに美しい。芸術療法とは真逆の世界である。「作品と対話」をしないことは可能だろうか。アトリエ インカーブのアーティストを見るかぎり、答えは「ＹＥＳ」であり「ＮＯ」だ。例えばアトリエ インカーブのアーティストは対話をする人もいるが、そうでない人もいる。評価を気にする人もいれば、気にしない人もいる。金銭の授受がわかる人もいれば、わからない人もいる。精神障がい者や知的障がい者の生活も創造行為も画一的に判断してはいけない。健常者以上に多種多様で謎だらけなのだ。

精神障がいとカテゴライズされても同じ障がいは一つもない。知的障がいも同様である。声をかけるタイミング、言葉使い、距離感……、すべて違う。考えてみれば当たり前だが、その「違い」があることに気づかない人が多い。

加藤氏の「アウトサイダーたちは、作品と対話せず、それゆえ作品とともに作家が変貌することがない」との決めつけで一番危険なことは、美術研究者や学者、鑑賞者を「批評を行えない」状態に陥らせてしまうことである。「作品と対話」をしないということは、アーティストが作品に対して疑念を抱かないことである。すなわち「唯一無二の正解」をつくり出しているということだ。それに批評を行う余地は限りなくゼロに等しい。

しかし、迷いや葛藤が作品に内包されていなければ批評を行うことはできない、と思わせてはならないのだ。言い換えれば「批評を行えない」ことは「認めない」ことでもある。鑑賞者ではなく傍観者の位置につくことを意味している。金沢21世紀美術館の秋元雄史館長は、「インカーブの作品をどのように批評するかが、学芸員の試金石となるだろう」というようなことを私に語った。日本の美術関係者よ、勇気を持って自らの眼力で批評してほしい。

どこの馬の骨

文化面ではなく社会面

アトリエ インカーブが誕生して間もなく、新聞やテレビを中心にマスコミが殺到した。工場の下請けや軽作業が中心だった日本の障がい者施設の世界で「アート&デザイン」を軸に「福祉色に染まっていないスタッフ」が旗揚げした社会福祉法人は、あまりにも旧来の福祉施設とかけ離れていたのかもしれない。

二〇〇三年四月一日、アトリエ インカーブは、大阪市平野区にオープンした。オープンしてひと月もたたないうちに新聞やテレビの取材陣が押し寄せた。始まったばかりなので作品があるわけでもなく、あくまで「将来のこと」を話すばかりで地に足が着いていない。それでも次から次へとマスコミがくるようになった。

新聞の取材を受けながら、徐々に違和感を覚えはじめた。私が話した内容と記事の内容があまりに大きくかけ離れている。社会システムを変容させるためには「デザイン」が必要であり、インカーブのアーティストが描く作品は「アート」であると話したはずなのに、新聞に踊る文言は「頑張っている障がい者」や「アートで生きがい作り」「障害者アート」だった。資料を渡し、時間をかけ説明しても「作品の凄み」を理解してくれなかった。

なぜ、このような齟齬が起こったのだろうか。一つには、取材に来てくれたすべての記者が文化面担当ではなく、社会面担当の記者だったことがある。彼らは、「障がい者の就労」「地域のくらし」を取材したかったのだ。インカーブの取り組みは、文化ではなく障がい者の社会参加として取り上げられていた。もう一つは、前に述べた「福祉」を「教育」の一環として捉えてきた歴史がそうさせるのだろう。

ある新聞記者がこう言った。「記事には主観は入れずに客観的事実だけで書くべきなんです」。この記者がアトリエ インカーブを選択して、取材に来ている時点で主観的なのである。客観的に取材を進めたい記者は、往々にして問題意識の欠如したセオリーどおりの記事を書こうとする。そしてだれが書いても同じような金太郎アメのような記事ができあがる。

それ以降、新聞やテレビを含め社会面への取り上げられ方には注意するようになった。記事になることがアーティストやスタッフを傷つけ、インカーブの行方を左右するかもしれないと思ったからだ。

時を同じくして、行政の主催で「アトリエ インカーブとは」をテーマに講演を行ったときのことだ。二時間ほどの講演が終わったあと客席から罵声が飛んだ。「相手が知的障害者だから行える事業だ。スタッフが好き勝手なことをしているだけではないか」「管理、教育を行わず、環境を整えるだけで障害者福祉ができるものか」。声の主は福祉関係者だった。頭の中が真っ白になった。

「マスコミ」や「美術界」「福祉関係者」のバイアスをいかに取り払うことができるか。船出早々大きな壁にぶつかった。

学芸員の眼力

人は見たいものを見ていて、聞きたいことを聞いている。別な言い方をすれば、人は見たくないものは見ているようで見ていないし、聞きたくないことは聞いているようで聞いていない。

私たちは、さまざまな情報や記憶の影響を受け、また、それらを使って取捨選択をしている。社会心理学では、このような知覚や判断の特徴を、「認知バイアス」と呼んでいる。認知のバイアスが生じる原因は何だろうか。第一は情報処理能力の限界だ。そして第二に、情報処理能力に限界があるため最適解に至らないまでも、ある程度満足のいく解答を得ようとするためだろう。しかし、状況によっては誤った判断を導いてしまう。

マスコミへの不信感が募(つの)るなか、私は「美術界」がインカーブの作品を、どのように評価するのかを知りたくなった。そこである学芸員に数点の作品を見てもらい、忌憚(きたん)のない評価を聞かせてほしいとお願いした。

学芸員は、作品を見ながら「歴史的な文脈がなく、評価できない。私個人の意見は言えない」と言った。目の前の作品と対峙し学芸員の個人としての評価を聞きたかったのだが、そうではなかった。いままで、「障害者アート」として福祉の世界でも行政の世界でも認知され、マスコミがそういう捉え方を流布してきた。だから、この学芸員にとって目の前に置かれている作品は「障害者アート」であり、現代人のつくる「アート」とは考えなかったに違いない。

しかし、私は、美術のプロとして作品だけを見てほしかった。美術館の学芸員だからこそ、外野の情報や記憶に振り回されず、作品に対峙できると思っていた。だが、とくに公の美術館で働く学芸員は、市役所の職員と同じようにさまざまな規制やルールがある。彼らの多くは、安全志向・衝突回避のために多数派の意見を採用し、その行動にしたがう群居本能があるようだ。民の企業に長年勤めていた私は、彼らの本能を理解するまでに時間がかかった。要するに「危ない石橋は叩いても渡らない」のである。

インカーブのアーティストは、著名な美術系大学を卒業したわけでもない。また美術界の派閥に入っているわけでもないし作品が世界的な賞を獲得したわけでもない。そんな作品は評価することができないというのだ。

私は、学芸員とはまだ見ぬ作品を自分の眼力で評価して自分の手腕で世の中に発表することが大きな社会的使命だと思っていた。だが、日本の美術館にいる大半の学芸員は、著名なアーティストの著名な作品を集めて入場数を見込める展覧会をローコストで開催することや、巡回展のルーティンな業務、寄贈された作品を保存する業務などが主な仕事なのだ。自分の眼力で新しい作品を掘り出し狩ってくることができる学芸員は少ない。

アートの分野にはバイアスがかかってほしくなかった。アートは、崇高で正直で欲のない世界だと思っていた。美しいものを美しいと言える、純な世界であってほしかった。それは市場原理にまみれたデザイナーとしての私のバイアスだったのかもしれない。

デザインされたグッズ

マスコミや学芸員からまっとうな評価が下されないため、私は何から手をつけていけばいいのかわからなかった。またインカーブのようにアートとデザインだけで事業を行っている社会福祉法人など日本には存在しないので、経験者からアドバイスを受けることもできず暗中模索の日々が続いた。

一方でアーティストに支払う毎月のお給料（行政用語では「工賃」という）を工面しなければならず気持ちばかりが焦っていたが、何か当てがあるわけではない。困ったときのデザイン頼み。私にできるのはデザインの手法を使ってこの状況から脱出することしかない。企業のショールームをデザインするときに、担当者にランチェスター理論のお話をすることがあった。ランチェスター理論とは、競争には勝ち方のルールがあり一定の法則があるというものだ。イギリスの技術者F・W・ランチェスターによって導き出された、競争に勝つための原理・原則である。

この理論には「弱者の法則」と「強者の法則」があり、「弱者の法則」には次の五つの戦略がある。①局地戦で戦う。②接近戦で戦う。③一騎打ちで戦う。④一点集中で戦う。⑤陽動作戦で戦う。

私は、アートのバイアスを解くために「デザインされたグッズ」を考えた。国内の現代美術を中心に扱っている美術館のミュージアムショップで販売し、美術関係者、学芸員、意識の高い観覧者にインカーブのブランドを訴求するとともにアーティストの収入源とするのがねらいだった。そのために戦略を①の局地戦で戦うことと④の一点集中で戦うことにした。

局地戦の戦いで言えば、薄利多売(はくりたばい)を避け、高額でもクオリティーの高いグッズをミュージアムショップの一店舗に卸すことを目標に掲げた。薄利多売にしないのは、インカーブの運営資金が公金だからである。公金で賄(まかな)われているかぎり、大量生産をして在庫を抱えたり赤字をだすわけにはいかないのだ。民では、多額の資金を注ぎ込んで人件費の安いアジアなどで安く作り、日本で高く売るのが当たり前である。だが社会福祉法人では、そのようなギャンブル的な手法はとれない。

一点集中の戦いでは、グッズを通してインカーブのアーティストのこと、作品のこと、そしてバイアスのことを理解してくれる人を美術界に一人見つけることを考えた。

そんなとき乃村工藝社時代の友人がサントリーミュージアム［天保山］の学芸部長・冨田章(とみたあきら)氏を紹介してくれた。

インカーブのスタッフは、デザインの世界では建築、プロダクト、グラフィック、

ＣＧを学んだ人間がいて、アートの世界では油絵、版画、染色を経験した人間が集まっていた。スタッフの能力を考えればミュージアムショップに展開するだけのクオリティーのあるグッズを開発することはそれほど難しくはなかった。

冨田氏にまだ縫製途中の鞄、クッションカバー、ブロックパズルなどのプレゼンテーションを行った。その結果、すべてのグッズをミュージアムショップで展開するという判断を下していただいた。

冨田氏は、バイアスのない眼力でグッズを発見し評価してくれた。それ以降、サントリーミュージアム［天保山］のミュージアムショップがきっかけとなって、国内外のミュージアムショップのバイヤーから次々にオファーが届いた。東京の国立新美術館、原美術館、アクシス、金沢21世紀美術館、イギリスのポールスミス。一気にインカーブのグッズが国内外で置かれることになった。

グッズの認知が進むと、作品にも注目が集まるようになってきた。ただ、グッズは作品の副次的なものなので目立ち過ぎるのはよくない。長期的に考えれば作品の足を引っ張ることになると思っていた。あくまで主役はアーティストがつくった作品である。

ルールの違い

インカーブの事業の原点は、「アーティストのしあわせのために何ができるか」を問うことにある。それを踏まえた上で、「公金」を使った社会福祉法人というシステムをいかにデザインしていくかを考える必要がある。

アーティストのしあわせといっても多種多様だ。描く行為だけでしあわせを感じる人、友人と時間を共有することでしあわせを感じる人、お金を手にすることでしあわせを感じる人、しあわせをひとつのケースに押し込めることはできない。ただ、インカーブは授産施設（現在は生活介護事業所）なので、何か生産活動を行い、毎月の給料を支給することが責務とされている。グッズを販売し基礎的な「お金」を得ることはアーティストの生活を安定させる上でも大きい。

グッズをデザインするにあたって、いくつかのルールをつくった。そもそも、デザインとアートの違いは「ルール」にある。デザインには、クライアントの意向、予算、納期、そして社会の要望が条件として存在している。すなわち、この社会に合致していなければ意味を持たない。それがデザインである。

一方、アートはデザインの真逆だ。自分のためにつくるもので、生理現象と言い換えてもいい。ルールが存在しないことがルール、それが私の考えるアートである。

グッズにも厳格に守らなければならないルールがいくつか存在する。まずはじめに、当たり前だが「クオリティーが高いこと」。日本の福祉関係の方々がつくるグッズはクオリティーが低すぎる。これはスタッフにデザインの専門職がいないこと、いたとしてもデザイナーとしての実績とセンスがないことが考えられる。では、なぜ優秀なデザイナーを雇用してクオリティーの高いグッズをつくらないのか。それには二つの要因がある。一つは、そもそも施設の長（理事長もしくは施設長）がデザインの必要性を感じていないこと。もう一つは優秀なデザイナーを雇用できる給与体系になっていないことである。何しろ福祉の世界は低賃金なのだ。

ルールの二つめは、「ルーティンな作業とアウトプットはスタッフが行う」ことだ。クリエイティブな能力はアーティストがはるかに勝っている。逆にルーティンな作業を間違いなく、手早く行う素養はスタッフが長けている。また社会に向けて、だれが・何を・いつ・どこで・どうして・どのように（マーケティングの戦略策定や計画立案で使う5W1H）を考えることもスタッフのほうが長けている。インカーブでは、スタッフをいわゆるデザイナーとして位置づけている。お互いに長けているポジションを守れば無理なストレスを受けないですむ。

三つめは、「著作権料と給料の分配方法」である。グッズに転用された作品には著作権料を支払う。日本では、著作権について未整備のまま作品をデザイン化したり、勝手に作品を売買しているケースが非常に多い。これは美術界でも言えることである。またインカーブでは、グッズの売り上げはインカーブに在籍するアーティスト全員で均等に分配している。福祉的であると思われるかもしれないが、これは基礎的な収益として考えている。一方、作品の場合は必要経費をのぞいて全額アーティスト個人に支払われる。

四つめは、「売れるものだけを作る」である。売れないものに公金を注ぎ込むことは許されない。売れるか売れないかは、ショップに一定期間ならべて、リサーチを行う必要もあるだろう。たくさん売れるとなれば外部の工場にお願いすることもあるが、初期の段階で工場に製作をお願いするのはリスキーである。リサーチを行うグッズはすべてスタッフが製作を行っている。

五つめがもっとも大切にしているルールだ。グッズのデザインや製作、アウトプットの方策を考えるのは「日常業務の一割に留める」ことだ。インカーブは、営利目的のデザイン事務所ではないし、広告会社でも、イベント会社でも、民間のギャラリーでもない。あくまで、アーティストの制作を通して日常を健（すこ）やかに過ごす場所である。そのためには日常の健康管理、普段の声かけ、自宅での様子の聞き取りなどが業務の九割を占めるべきである。

毎月、グッズの収益をアーティスト全員に還元している。グッズに転用して力を発揮する作品もあれば、転用では力を発揮しない作品もある。現在、力を発揮する作品は二五名中数名のアーティストに限られている。理想はアーティスト全員の作品をグッズ化することだが、市場性を考えると作品をセグメントするしかない。

「作品」は、個人が制作したものだから収益を個人に還元することは当然だろう。他方、「グッズ」は基礎的なアーティストの収益として全員に分配する方法をとった。しかし、グッズ化されるアーティストとされないアーティストを明確に分けてしまった。それは「最低限の収益を確保する」ために市場に迎合したことから起こった現象だった。

福祉と市場という相反する社会システムを内包することで、私に新たな葛藤が生まれてきた。

ニューヨークへ

発見者フィリス・カインド

「歴史的な文脈がなく、評価できない。私個人の意見は言えない」。初めてインカーブの作品を評した学芸員のコメントが忘れられなかった。私が愛した作品は、本当にその程度なのだろうか。インカーブが誕生して一年半ほどたち、少しずつ作品が増えてきた。

相変わらずマスコミでは「障害」という属性だけにポイントを置いたコメントが紙面に踊り、福祉団体からは「障害者アート」の展覧会に参加しないかというお誘いが相次いだ。私を含めスタッフは、作品の創造力に魅了されて集まったのだ。その作品を作るアーティストがたまたまダウン症や自閉症だったに過ぎない。語弊があるが、障がいの前に作品に注目してほしい、ただそれだけだった。

日本の美術界からの反応がないまま時間が流れた。そんなとき私は、日本で評価されなくても世界なら違った評価が下されるかもしれないと思った。現代美術の本場、ニューヨークはどのような評価を下すだろうか。歴史性や学歴を重視するのだろうか。もし、ニューヨークで評価されれば日本に外圧をかけられるのではないか。そうなれば日本の美術界も評価をするかもしれない……。すべてが仮定の話だったが、仮定できるということは頭にイメージが湧いているということだ。イメージが湧くということは、歯車が噛み合えば実現できるはず。今までの経験からそう思えた。

ニューヨークには、デザインの仕事で三度行ったぐらいで、現代美術を扱うギャラリーには縁もゆかりもなかった。しかし、行動を起こせばどんなご縁があるかわからない。売れないミュージシャンがデモテープを送るように、二〇〇四年一二月、ソーホーとチェルシーを中心とした七つのギャラリーに作品をコピーしたCD－ROMを送った。二日後、あるギャラリーから電話がかかってきた。

電話の主は、フィリス・カインド・ギャラリーのオーナーにしてギャラリスト、フィリス・カインド本人だった。ハスキーな声で「朝までCD－ROMの作品を見ていたの……。素敵な作品ばかり。早く生の作品を見たい。一日も早くニューヨークに送ってほしい」と興奮した口調で話した。彼女との出会いが、インカーブ最大のターニングポイントになろうとは、このときは夢にも思わなかった。

当時は、フィリスを信用していいのかどうか、まったくわからなかった。ギャラリストとしての実力も判断がつかなかった。ただ、日本でも評価されなかった作品を認めてくれたのだ。それだけで救われたような気持ちになっていた。

一二月二八日、ご縁を信じて作品をニューヨークに送った。数日後フィリスから思いもよらないメールが届いた。フィリス・カインド・ギャラリーと米国の西海岸・東海岸の独占契約を結んでほしいというものだった。つまり、米国の主要なフェアや自社ギャラリーでのインカーブの作品の販売をフィリス・カインド・ギャラリーが行うというものだ。この契約は、日本の福祉施設とニューヨークのメジャーギャラリーが初めて交わしたものだったに違いない。

ただ、電話とメールのやり取りだけではリアリティーに欠けていた。直接、顔を合わせて話をしなければ心は通じにくい。そう思っていたころ、フィリスからメールが届いた。「インカーブの作品を二〇〇五年一月末にニューヨークで開催される第一三回アウトサイダー・アート・フェアに出品したいので、ぜひ見に来てほしい」というものだった。

フェアに行く前、フィリスの情報を収集した。私の想像をはるかに超えるギャラリストだった。フィリスは、一九六七年にシカゴでギャラリーをスタートさせ、のちにシカゴ・イマジストと呼ばれるアーティストたちを世に送り出した。当時はまだだれも注目しなかったアウトサイダー・アートの市場を開拓してきたのも彼女である。一九七五年には、ニューヨークにギャラリーをオープン。四〇年以上にわたって常に世界に眼を向けていた。新しい才能の発掘に余念がない敏腕のギャラリストだ。

一九七〇年の早い時期から、フィリスの興味は現代美術から、フィリスが契約を交わしたアーティストたちが収集していたセルフ・トート・アートやアール・ブリュットに移行していた。「セルフ・トート・アート」とは「独習の芸術」という意味で、世に出ているか否かは関係ない。そもそも、アートよりも実用や宗教のために描かれたり造られたりしたものである。「フォーク・アート」や「アール・ブリュット」もこれに含まれる。フィリスは、カルフォルニアの精神病院に収容されていたマルティン・ラミレスや、シカゴの病院で清掃員として働いていたヘンリー・ダーガーをいち早く発掘し、その作品を売買していた。

当時はまったく無名の彼らの作品を世に問い市場に送り出す眼力と手腕は、日本の学芸員やギャラリストとは桁が違う。現在は、現代美術六割、アウトサイダー・アート四割を扱っている。

世界中のいまだ見ぬ才能あるアーティストの発掘に意欲的なフィリスは、インカーブのアーティストに大きな理解と期待を寄せてくれた。

アウトサイダー・アートフェア

ニューヨークで開催されるアウトサイダー・アートフェアは、欧米を中心にアウトサイダー・アートを扱うギャラリーが集うフェアで世界最大規模を誇っている。インカーブの初出品は、フィリス・カインド・ギャラリーと契約した二〇〇五年の第一三回からである。会場は、ソーホーのラファイエットストリートとヒューストンストリートが交差するところにあるパックビルディング。ギャラリー数は三四にのぼった。会期は二〇〇五年一月二八日〜三〇日（二七日は関係者のみの「オープニング・ナイト・プレビュー」）。入場料は一五ドル／日（二〇〇九年は二〇ドル／日）。入場者数は会期三日で約八千人だった。

その年の一月末のニューヨークは、零下を極端に下回る日が続き異常寒波が襲っていた。私は、インカーブのスタッフとオープニング・ナイト・プレビューに行くためパックビルディングに向かった。だが、道路を除雪した真っ黒な雪が歩道に押し寄せ、車椅子が通れるだけの幅もなく、まして道が凍てついてタイヤが空回りし、立ち往生することもしばしばだった。

ようやく辿り着いた会場玄関には長蛇の列が延びていた。会場内は、屋外の寒さとは一変して、関係者の熱気でむせ返るようだった。フェアの会場に足を踏み入れた途端、フィリス・カインド・ギャラリーのサインが目についた。日本の展覧会のデザインを行ってきた経験から、フィリスのブースのゾーニングを見て、フェアにおける実力を推し量ることができた。フェアはフィリスを中心に廻っているのだと直感した。

フィリスのギャラリーは、フェア会場の最初に位置し展示面積も最大を誇っていた。ニューヨーク・タイムズをはじめたくさんのメディアがフィリス詣でをしていた。人の波がフィリスの眼光に吸い寄せられているようだった。

オーラを放つフィリスに恐る恐る近づいた。私に気がついたフィリスは、「ワォー、イマナカ!」と満面の笑みでウィンクをしてくれた。そして駆け寄ってきたかと思うと、挨拶もほどほどに、フィリスが選んだインカーブのアーティスト四人の作品を紹介してくれた。ブースの半分くらいがインカーブの作品で埋め尽くされていただろう

ニューヨーク・アウトサイダー・アートフェア会場

フィリスと著者　フィリス・カインド・ギャラリーにて

か。

フィリスは、「今年のフェアはインカーブの作品を中心に展開したの。だって、インカーブを発見した年だから!」と初めてインカーブに電話をくれたときのように興奮した口調だった。

目も眩むほどの熱気の中で、私は、言葉にならない戸惑いを感じていた。それは「アウトサイダー・アート」という言葉に対する違和感からくるものだった。アウトサイダーと呼んだのはインサイダーである。それは中心が周縁を従属させる力関係を感じさせる。

昭和の終わりごろまで、女性のアーティストを男性と区別して「女流作家」と呼んでいた。しかし今日では「女流作家」などと表現することはない。女流作家と名付けたのは男性に違いない。アウトサイダー・アートも同じようなものだ。インサイダーとアウトサイダーを区別することがしっくりこなかった。

ではなぜ、私は、アウトサイダー・アートフェアに出品したいというフィリスの思いに合意したのか。理由は二つある。一つめは、「障害者アート」という一般社会のレッテルから抜け出せないことにあった。インカーブの作品をいくら「現代美術」だといってもマスコミの理解は得られなかった。そこで私は、「障害者アート」から「現代美術」までの段階を細分化していくことを考えた。「方便」として「障害者アート」から「アウトサイダー・アート」、「アール・ブリュット」をへて「現代美術」にたどり着くようにしたいと考えたのだ。「方便」という言葉に違和感を覚える人がいるかもしれない。原義は仏教用語で「目的に近づく」とか「目的に近づくための手段」という意味だ。方便は、嘘や偽りではない。

二つめは、早くアーティストに正当な給料を支払いたいという思いだった。日本で作品の評価は得られず販売先もなかった。あったとしても「障害者バザー」といわれる催し物だけだった。きっとバザーで作品を販売していたら数百円、数千円にしかならなかっただろう。薄利多売のバザーで展開することは、アーティストとインカーブのブランディングの足を引っ張ってしまう。彼らの作品はバザーで販売するものではないと強く思っていた。

これらのことから、アーティストを周縁の人間ではないと思いながらも、結果的にアウトサイダーとして世界に発信してしまった。私は、大きなミスを犯してしまったのではないだろうか。フェア会場の中で自らの企てのほころびを感じた。

フィリスの審美眼（しんびがん）

二〇〇六年夏、画集『ATELIER INCURVE』を出版するためニューヨークに渡った。このときフィリスが最も愛するアーティスト寺尾勝広（てらおかつひろ）の魅力とアウトサイダー・アートについて、フィリスに単独インタビューを行った。その一部を抜粋してみよう。

今中　テラオのコラージュ作品が特に気に入っているようだけど？

フィリス　コラージュによる大きな作品は最も洗練（せんれん）されていて、驚くべきものね。彼は空間に奥行を作って、パースペクティブをねじ曲げているのよ。最初に上から見て、横から見て、下から見て、それをねじ曲げて。素晴らしい！　本当に素晴らしいわ。さらにその色彩感覚にも驚かされるの。ロボットの作品は、この小さい十字にとても興味を引かれるのだけど、これはリベット（金属のつなぎの部分に使われているネジのようなもの）かしら？

今中　そう。リベット。

フィリス　あぁ、やっぱり。ロボットの作品を一二点いっぺんに壁に飾っているんだけど、すべての作品にリベットがついているわよね。銀色のリベットは、角度によって現れたり消えたり。テラオの制作スタイルはまさに〝テラオ〟独自のものね。彼はコラージュの後にこのロボットの作品を制作したのよね？彼は本当に不思議な才能を持っているわ。とてもアクティブな筆致の大きなペインティングからこのロボットの作品まで幅広く行き来できる。そしてそこには繊細さと楽しさがあるわ。私のお気に入りの、鉛筆で描かれた初期の作品は、一見すると繰り返し同じものを描いているように見えるのだけど、よく見ればすべてのセクションがまったく異なっていることに気付くのよ。

今中　黒のスクラッチの作品はどう思う？

フィリス　作品としてとても強い。感嘆し購入を希望する顧客もいるけれど、ほとんどの人にとっては密度が濃すぎるようね。

今中　アウトサイダー・アートフェアをはじめ、売買されているアウトサイダー・アートには精神に障がいのある人の作品が多く見受けられるけれど、アトリエ　インカーブのアーティストたちは知的障がいがあるアーティスト。精神障がいのある人と知的障がいのある人の作風にどこか違いを感じる？

フィリス　私にはまったく感じられない。イマナカさんはどう思う？

今中　精神障がいのある人は作風がシャープで、知的障がいのある人は穏やかであたたかい作品を作るように思えるね。

フィリス　精神障がいと知的障がいの作風の違いね……。あなたの指摘はとてもいいポイントだと思うわ。例えば、イマナカさんは知ってる？　統合失調症患者の中に天才がいる確率は、全世界の人口に対する天才の比率と同じ。つまり統合失調症だからといって天才というわけじゃないわ。そして、アメリカでは社会的な進歩によって非営利団体が爆発的に増えて、それとともに、障がいのある人が創作活動をすることができる場所がアメリカ全土にできたの。それが拡大し続けて、とにかくアメリカで作品をつくって、それが批評され、売買が成立し、それに対する税金を払って……という状況を生み出したのよ。でもそうした状況下にいる障がいのある人の中で、本物のアーティストというのは、例えば何百人のなかに一人いるかどうかなのよ。

さあ、今度は私がイマナカさんに質問する番よ。どのようにしてアーティストを見つけたの？

今中　天が会わせてくれたんですよ。

フィリス　天か……。私もお願いしなくちゃね、素敵なアーティストに会えますようにって（笑）。アーティストたちは、アトリエ インカーブに来るようになる前に、作品を見せたりするの？

今中　それまでに作ったものを持って来て見せてもらう。本人とご家族いっしょにね。

フィリス　作品の写真だけ送ってもらって判断するわけではないのね？

今中　作品は、実物を見ないとわからないから。チラシの裏に描いたものとか、何でもいいんです。本人とも直接会いたいし。作品を見ることも大事だけど、ものづくりが好きであることが大前提。アトリエ インカーブでいっしょに時間を過ごすことになるわけだから、楽しく穏やかに、他のアーティストたちと過ごせるかということをとても大切にしているんです。

フィリス　なるほどね。

今中　ところで、もしアウトサイダー・アートを純然たるアウトサイダー・アートのまま保ちたいのであれば、アーティストとその作品は常にメインストリームの美術市場から外れた位置（＝アウトサイド）に存在してしまう。一方で、利益を追う場合はむしろメインストリームに位置づけされるべきだと思う。ギャラリストとしてどうやってかかわっている？

フィリス　それは私には愚問よ。実際、私の所有する作品を、いま言った〝メインストリーム〟のギャラリーに展示する機会があったとしても、私はその作品をいわゆるメインストリームであるとは言わないわ。それに、名称なんて勝手ですもの。つまり、より多くの人々が作品を愛することで、その作品のよさも増す。これは事実。作品が美術館に飾られるのを見たいわよね。でもこの素晴らしいものに存在する〝違い〟を取り去りたくないのよ。

いわゆる〝メインストリーム〟と言われるものと同じくらい、私はアウトサイダー・アートが好きなの。いや、本当のことを言うと、少しアウトサイダー・アートをひいきしているわね。そこにはいつでも、新しくて違う何かがあるからよ。その違いを、アウトサイダー・アートから取り去る必要はまったくない。私たちは強くなければならないわ。わかるでしょう？　人は「メインストリームだと思われる必要がある」と言いがちなのよ。でもあなたはそれに「ノー！」と言うの！　私たちにとって、アウトサイダー・アートはそれと同じくらい、むしろそれ以上に素晴らしく、重要なんですもの。

アウトサイダー・アートフェア出品後、一年八か月が経っていた。私は心底、葛藤していた。わが身のことなら相反する欲求を整理整頓することができる。しかし、アーティストの生活を保障するための収入の確保とプライドを考えると答えは出せなかった。

最後に「アウトサイダー・アートやアール・ブリュットを包含する言葉は何？」とフィリスに問うてみた。「それはセルフ・トート・アートね」。しかし、これは美術界が市場に送り込むためのインパクトのある言葉ではなかった。故に、セルフ・トート・アートという市場はいまでも形成されていない。

第六章　現代美術の超新星たち

日本へ帰ろう

アート・パトロン

ニューヨークでアーティスト個々のアート・パトロンが現れはじめた。アウトサイダー・アートとして評価するパトロンもいたが、現代美術として評価するパトロンも現れた。「鑑賞者が主観的に自己判断を下せるものがアートなのだよ」とパトロンは口を揃えて言った。高額になりつつあった作品を購入できるのは、ニューヨークの弁護士、建築家、医者などのいわゆるアッパー層だった。

美術評論家海野弘（うんのひろし）氏は、著書『パトロン物語』（角川書店、二〇〇二年）のなかでパトロンについてこのように述べている。「〈パトロン〉は保護者、後援者といった意味であるが、特に芸術のパトロン（アート・パトロン）を指すことが多い。なぜなら、芸術というのはか弱いものであり、保護してやらなければならないと考えられているからだ」。また、「パトロンはラテン語のパトロヌスから来ていて、父を意味する。つまりパパである」。か弱い芸術は古代ローマ時代から保護されてきたわけだ。

ニューヨークのパトロンの話を聞くたびに、われわれが信じた作品に間違いはなかったのだと自信が蘇ってきた。日本では見向きもされなかった作品が、現代美術の本場ニューヨークでは余りある評価を獲得したのだ。この作品を前にして日本のマスコミや美術界、福祉関係者はどのように反応するだろうか。期待と不安が輻輳しながらも、日本で発表できる時期を探していた。

ところで、障害者自立支援法施行以降、インカーブの事業費は年々削減されていた。それは小さな政府が行う聖域なき行財政改革の一環だった。手を付けてはいけない「福祉＝しあわせ」まで切り崩したのだ。本来、福祉は「公」が支えるべきだと強く思いながらも、「民」のサポートなくして事業が成り立たないところまできていた。

ニューヨークのアート・パトロンは作品を購入してくれたアッパー層。それでは日本のアート・パトロンとはどのような方々だろうか。個人だろうか、団体だろうか。アーティスト個人へのパトロンを募ればいいのか、インカーブのパトロンを募ればいいのか。募るための方策は？　「公」と「民」のバランスは？　見えない問題が山積だった。

まず私が取りかかったのは、日本での「作品の正当な評価と民への認知」だった。それは「正当な評価を下せる民」を探し出すことでもあった。「評価は他者によってもたらされる」ことは、長年デザインの世界に身を置いた人間として骨身に沁みてわかっていた。大切なのは「他者」の設定だ。

インカーブの作品性を見極める眼力を持つ「他者」が数多く集まり、マーケティングやプロモーション、クリエイティブなど豊富なコンテンツを保持するところ……。私は、当時、金沢美術工芸大学視覚デザイン学科の秋草孝教授に電通のCSR（Corporate Social Responsibility、企業の社会的責任）部門とデザイン・プランニング部門への紹介をお願いした。電通は、乃村工藝社時代から仕事を通じてその実力はわかっていた。世界の広告市場の八・五％を占める日本市場で第一位の売上高を誇り、電通グループ全体では世界第五位（二〇〇七年の売上総利益）にランキングされているマーケットリーダーである。

海野弘氏は、アート・パトロンの必要性をこのように述べている。「芸術はアーティストだけで成立するものではない。アーティストに作品をつくるきっかけを与え、その資金を援助し、時にはそれを操るパトロンが必要なのである。（中略）閉鎖的な芸術史を解放し芸術を、政治や経済、社会全体との交流のうちにとらえようという新しい方向を反映している。（中略）マネーが絡んでアートの価値が汚されるかというと、そんなことはなく、むしろいきいきした人間的な魅力を語ってくれるのだ」。日本でアート・パトロンを発見するために電通の力を借りることにした。

閉じながら開く

二〇〇六年七月、電通でアトリエ インカーブのプレゼンテーションを行った。CSR部門とデザイン・プランニング部門を中心に五〇名を超える方々が参集してくれた。社会福祉法人の成り立ちから、日本のマスコミ・美術界・福祉関係者のバイアス、ニューヨークでの評価、日本でのアート・パトロンの必要性、そしてデザイナーやディレクターの力が重要だということを話した。

私は、アーティストとの関係やブランディング、作品のアウトプット方法を「閉じながら開く」という禅問答のような言葉を使うことがある。インカーブのコトやモノについて力まかせに市場に打って出るわけにはいかない。そのようなことをしたら、精神的に不安定なアーティストの多くはパニックになってしまう。開けばいいというものでは決してない。

事業の本分はアーティストとの対話だ。アーティストの体調や家庭を注視しなければならない。風邪はひいていないか。お腹の具合は悪くないか。夜、自宅でどのように過ごしているのか……。次に大切なのはお母さんの仕事や体調だ。アーティストの一番の信奉者はお母さんである。お母さんの苦しみはアーティストに直結する。

さりとて、開かずに閉じてばかりいたら経済的に脆弱（ぜいじゃく）になっていくばかり。哲学者中島義道（なかじまよしみち）氏の著書『〈対話〉のない社会――思いやりと優しさが圧殺するもの』（PHP新書、一九九七年）に私が考える「閉じながら開く」ことの作法があった。一つめは、「自分の人生の実感や体験を消去してではなく、むしろそれらを引きずって語り、聞き、対話すること」。二つめは、「相手との対立をみないようにする、あるいは避けようとする態度を捨て、むしろ相手との対立を積極的に見つけていこうとすること」。三つめは、「相手との見解が同じか違うかという二分法を避け、相手との些細な『違い』を大切にし、それを『発展』させること」。四つめは、「自分や相手の意見が途中で変わる可能性に対して、つねに開かれてあること」。

二〇〇七年一月、電通で行うシンポジウムのコンセプトを固めるために、クリエーティブディレクターとコピーライターがインカーブを訪ねてくれた。二人とも電通が誇るクリエイター集団の寵児（ちょうじ）だ。

その場しのぎの仕事でないことは二人の表情から読み取れた。私だけではなくインカーブの空気を体感してからでないとデザインはできないと思っていたに違いない。その真摯な対応に胸が熱くなったのを覚えている。二人との数時間の対話は至福の時だった。私のデザイナーとしての血肉（けつにく）が沸き立ってくるのがわかった。忘れかけていた何か、押さえつけていた何か……、荒ぶるものが動き出したようだった。

後日、クリエーティブディレクターは「リスペクトしました」とメールをくれた。

コンテンポラリー・アートの先にあるもの

電通内の推進役はコーポレート計画局とIMCプランニング・センターだ。「アトリエ インカーブのクリエイティビティが電通のイメージにフィットした」と言われた。障がい者の絵だから手を貸そう、ではない。電通らしい社会貢献がインカーブを通して表現できるかもしれない、そう感じてくれたに違いない。「作品の正当な評価と民への認知」を得るためには、まずインカーブを「知らせる」ことが必要だった。知らなければ評価も認知もできない。では、だれに知らせるのか。私は、「民」の中でも公器の窓口としてのCSR部門と、作品を見抜く眼力を持つクリエーターに照準を定めたいとお願いした。

二〇〇七年三月、「アウトサイダー・アート LEAD BY アトリエ インカーブ エキジビジョン&トーク・セッション」が行われた。ニューヨークで発表されたアーティスト五人の作品の展示とともにトーク・セッションが行われ、パネリストとして脳科学者の茂木健一郎（もぎけんいちろう）氏、アーティストの日比野克彦（ひびのかつひこ）氏、そして私、コーディネーターと

東京・電通　会場エントランス

左より飯田高誉氏、茂木健一郎氏、日比野克彦氏、著者

してインディペンデント・キュレーターの飯田高誉（いいだたかよ）氏が登壇した。定員の二〇〇名を大幅に上回った会場は熱気に包まれ、国内初のインカーブのキック・オフとなった。配られた資料のコピーが問題提起を突きつけた。「（前略）本場ニューヨークで高い評価を獲得した。（あの現代美術家キキ・スミスも、彼らの作品を買い求めたらしい）実に誇らしい出来事であるが、その才能の最初の発見者になれなかったことを、私たちはもっと悔しがるべきだろう。（中略）あなたに感じてほしい。このアートの価値を。そして考えて欲しい。この国が、この才能を育てられるかどうか」。なぜ、日本ではなくニューヨークだったのか。インカーブの作品を見抜く眼力があなたにはあるのか。コピーライターの挑発的な言葉が並ぶ。

茂木氏は、トーク・セッションで、私の「インカーブの作品はコンテンポラリー・アートの先にあるもの」という発言に対して、このように述べている。「最初にキュビズムを観た人は、戸惑ったしためらったと思う。今はもうキュビズムというものは、立派なアートヒストリーの中の殿堂に入っているものだから、ピカソをほめても安心していられるわけです。自分が安全圏にいられるんですけど、ピカソが出てきたときにあれに対してどういう態度をとるのかは、かなり戸惑ったことだと思います。こんなものほめて大丈夫かなと。ですから先ほど今中さんが『コンテンポラリー・アートの先にあるもの』とおっしゃいましたね。僕はすごくいい言い方だと思いました。というのは、要するにコンテンポラリー・アートは立派なものになっちゃったんです。よくわかんないものでもほめとけばいけてる感じになれるんですけど、アウトサイダー・アートというのは、あるいはアール・ブリュットというのは、まだそういう形でわれわれの中に落ち着いていないので、いいなと素朴に思う一方で、日比野さんが言われたように、社会的な配慮としてはどういう態度をとるのが正しいのかというか、政治的に正しいという意味ではなくて、本当に魂の態度としてどうしていいのか、ためらいとか戸惑いがある。これは素晴らしくいいものだと思います」。

もう、お気づきかもしれない。私はここでも「アウトサイダー・アート」の名称を容認している。インカーブの作品を評する新たな名称が必要かもしれない。何度も何度も電通とのブレーンストーミングで話し合った。しかし、答えは「アウトサイダー・アート」にしかならなかった。このとき、社会に一番浸透している言葉が「アウトサイダー・アート」だったからだ。キック・オフゆえに認知度の高い言葉を選んでしまった。トーク・セッションが終わるまで、私の中でアーティストを侮辱してしまったという罪悪感が渦巻いていた。

しかし、茂木氏と交わした「コンテンポラリー・アートの先にあるもの」という言葉にインカーブの進むべき道が見えてきたように思えた。「アウトサイダー・アート」でもなく「アール・ブリュット」でもないもの。カテゴリー化されない、何か。

美術館でアトリエ インカーブ展を行う

呪縛からの解放

二〇〇七年五月、サントリーミュージアム［天保山］の冨田章学芸部長を訪ねた。そこで私から「日本の美術館でインカーブ初の展覧会を行いたい。そのためにはどうしたらいいか」とアドバイスを求めた。冨田氏は、のちに図録『Atelier Incurve Exhibition at Suntory Museum』（二〇〇八年）のなかで語っている。「話しているうちに、どうしてもまずサントリーミュージアムで開催したい、という気持ちが強くなってきた。もともと作品に魅力を感じてグッズの販売にご協力したのだし、初めてグッズを売ったのだから、初めての展覧会もこの美術館でやるべきだ、という単純な思い込みでもあった」。

まさか、冨田氏からサントリーミュージアム［天保山］で展覧会開催を、という話が出るとは思わなかった。確かにここでインカーブの展覧会を行えるならこれ以上の船出はない。通常、美術館の企画展は二年ほど前から日程調整が行われる。すでに二〇〇八年の展覧会スケジュールは固まっていたが、奇跡的に二週間弱の期間を確保できることがわかった。

後日、冨田氏から毎日新聞社の高市純行副部長（総合事業局事業部）に展覧会の話をしたところ、実際にインカーブを訪問して作品や活動ぶりを見た上で共催していただけることになった。資金面や広報面で大きなサポート態勢が整いつつあった。

インカーブでは、作品の評価を行わない。なぜなら、インカーブのアーティストは制作者であり、スタッフはデザイナー、生活支援者だからだ。美術を評価できる学芸員やキュレーターではない。日本の福祉団体は自分たちで制作し、自分たちで評価をくだす。それは犯してはならない罠なのだ。式場隆三郎を黙殺した日本の美術界の存在を忘れてはならない。外部の美術の専門家に評価を委ねてこそ価値が上がるのだ。

東京都現代美術館チーフキュレーターを務める長谷川祐子氏は、山口裕美『芸術のグランドデザイン』（弘文堂、二〇〇六年）の中で、キュレーターの仕事をこのように述べている。「インスタレーションも含めた展示デザイン専門のデザイナー、カタログをつくるエディター、助成金を集めてくるディベロップメントオフィス、レジストラー、それぞれの役割を担う専門家がいます。キュレーターの仕事は、その中心になってアーティスティック・ディレクションを担っていくことでした」。キュレーターに限ったことではないが、プロの世界に素人が手を出すべきではない。

ニューヨークではすべてをフィリスに任せたように、今回の展覧会はすべてを冨田氏に任せた。学芸員としての実績。人柄。長年にわたるご縁。インカーブの作品を発表するには、冨田氏の手によってサントリーミュージアム［天保山］で展開するのがベストだった。

冨田氏は、インカーブで数百点に及ぶ作品からキュレーションを行った。出品候補作品にナンバーつきの付箋(ふせん)を貼り、一点一点カメラで撮影していった。二五名のアーティストから五人のアーティスト、六七点の作品が選ばれた。偶然、ニューヨークのフィリスが選んだ五人だった。

二〇〇八年一月二二日〜二月三日、「現代美術の超新星たち アトリエ インカーブ展」が開催された。アウトサイダー・アートもアール・ブリュットもタイトルにはない。茂木氏との対話の中で出てきた「コンテンポラリー・アートの先にあるもの」は、「現代美術の超新星たち」と名前を変えた。カテゴライズの呪縛からようやく解き放たれた瞬間だった。

寺尾勝広

寺尾勝広に出会ったのは二〇〇一年のころだった。一九六〇年生まれの寺尾は高校卒業後、父親の経営する鉄工所「寺尾工業」で溶接工として働き始めた。以来、父親が他界するまで二〇年間、溶接工として毎日ひたむきに働いた。母も亡くした今、彼

大阪・サンクトリーミュージアム［天保山］　会場エントランス

寺尾勝広ゾーン

にとって鉄は両親と姉弟に囲まれた家族団欒でしあわせだったころの象徴なのだろう。モチーフももちろん鉄。決してぶれることはない。平面作品は絵ではなく「鉄骨図面」だという。ペンシルを使った「鉄骨図面」には摩訶不思議な三次元が現れる。描き込むほどに階層が奥へ奥へと続いていき、鉄骨で迷宮が組み上げられていく。私は、セルフ・トート・アートの作品で意識的・無意識的にかかわらず彼のように三次元を操るアーティストを知らない。

図面化の仕方も希有だ。二メートル四方のキャンバスをロール状にして机の下に貼り、少しずつキャンバスを引き出しながら描いていく。図面全体を俯瞰して描いているわけではなく、図面の上部から描きはじめ、しだいに下部にいたる。

また寺尾はインカーブで一番多作だ。それはアーティストとしての最低条件である。二メートル四方のキャンバスを二週間ほどで描ききる。朝一〇時、インカーブに来て制作開始。時代劇を観ながら昼ご飯を一五分で完食。ストレッチ五分。以降は夕方まで描きっぱなしである。ほとんど休憩を取らず制作を続ける。異常なまでの図面への執念と集中力だ。

鉄の直線とボルトの十字で埋め尽くされた図面で、溶接工時代の記憶を昇華させているのだろうか。ニューヨークで最も評価の高いアーティストだ。

抽象表現主義の巨匠ジャクソン・ポロックのドリッピングによる作品などを呼ぶのに使われる、オール・オーヴァー・ペインティングという言葉がある。画面全体が、特別な焦点も強弱もなく均質に仕上げられ、どちらの方向から見てもいいような作品を指す。寺尾勝広の作品は、ポロックの作品の対極にあると言ってもいいほど異なった様相を呈しているにもかかわらず、まさしくオール・オーヴァーな特質を持っている。鉄骨による建造物の設計図だというそれらの作品は、定規で丁寧に引かれた直線による鉄骨と、リベットを表す＋記号でびっしりと覆いつくされ、そこには中心も周縁も、始まりも終わりもない、無限に広がる世界の一部を切り取ったかのような印象だけが与えられる。もちろん設計図であるからには、そこに何らかの建造物が展開されているのだろうが、容易にはそれを窺い知ることはできない。また時に、不可思議な遠近感を抱かせる部分もあるが、それも単なる錯覚かもしれない。確かなことは、几帳面に引かれた繊細な線の集積の中に、力強く骨太の構造が見え隠れしており、それが寺尾作品の尽きせぬ魅力となっているということだ。実際に鉄を使って作られた立体作品の、荒削りで雄渾なフォルムを見れば、そのことは容易に理解できるだろう。

（冨田章『Atelier Incurve Exhibition at Suntory Museum』より）

フィリスが寺尾とピカソを比べてこう語った。「本当に、寺尾さんの作品はピカソの作品と全然差はない。ただ、何が一番違うかというと、寺尾さんの作品のつくり方にはミステリーがある。そこには非常に神秘的なものがあって、それは本当に純粋で、すごく個人的なものである」。また日本のあるキュレーターは、「草間彌生は六十年かけて今の地位を築いたのよ。寺尾は数年でアート・パトロンを手に入れ市場を手に入れてしまったの」と話していた。

最近よく思う。寺尾は私の手におさまるような男ではないのかもしれない。

湯元光男(ゆもとみつお)

一九七八年生まれ。恥ずかしがり屋で学校卒業後はしばらく家で過ごした。本格的な創作活動に出会うのはインカーブが初めてだった。色鉛筆やイラストボード、画用紙。色とりどりの画材を目の前にしたとたん、それまでの創作機会への枯渇を満たすかのように一心不乱に描きまくった。

外の世界が彼を刺激し、創作本能に火をつけたのかもしれない。今でもはにかんだ笑顔は相変わらずだが、ひとたび色鉛筆を握るとその表情は攻めの眼差しに一変する。好きなモチーフは、普段私たちが何気なく目にする虫や鳥、建物、船。細分化されたひとつひとつをぎゅっぎゅっと音がするほどの筆圧で一気に塗り進める。

濃厚でビビッドな色使いとは裏腹に、幻想的な世界が表出する。時にサイケデリックに、時にノスタルジックに、殺伐とした近未来都市が再構築されていくようである。

細かに細分化された鮮やかな色面が、表面を覆うように縦横に成長しながら建物を構築していく。小さな色面はレンガのようにも見えるが、しかし、それらは積み上げられた「部分」として建物を構築するのではなく、細かな面が連なって生じる別の色面が、あたかもそれ自体の意思を持つかのように、大きくうねりながら広がっていく。湯元が描く建物は、どこから始まって、どこで終わるのか。それらは、たとえ画面の中に余白が残される形で描かれていても、外部に無限に広がる空間へと連綿と繋がっているように見える。世界はあまりにも大きく、そして、それに対峙する私たちはあまりにも小さい。だが、そこはさまざまなものに満ち溢れ、私たちに夢や生きる喜びを与えてくれることも事実だ。色鉛筆を使って、一つ一つの面を丹念に塗りつぶすようにしながら制作する湯元は、自分の外部に畏怖を感じ、自らの存在を一歩一歩確かめるために大きな建物を描く作業に取り組んでいるのか。建物は、彼の指先の確かな感触の中から、世界を侵食していく。それは自分が描く先にある未知なる領域への期待や夢の表出であると同時に、どこか寂しげで虚ろな印象を感じさせる。そうした湯元の作品は、私たちすべての存在の不確かさそのものをも、露にしていると言えるのかもしれない。

（大島賛都〈サントリーミュージアム［天保山］学芸員〉
『Atelier Incurve Exhibition at Suntory Museum』より）

ＭＯＭＡやホイットニー美術館などで数々の展覧会が開催され、アメリカの現代美術を代表するアーティストであるキキ・スミスが、二〇〇五年フィリスの紹介で湯元光男の作品「新木君の家」を購入。常にスリリングな作品を発表し続ける彼女に、湯元の作品についてインタビューを行った。

今中　フェアでユモトの作品を見たとき、どんな印象を受けましたか。

キキ　魅力的だったわ。その前の年に日本を訪れていて、カラフルな建物や伝統的な建造物を見るのがとてもおもしろかったの。伝統的な建物をどう捉えるか、どう描くかって難しいけど、ユモトが描いた建物はイキイキとしていて、新しい息吹きを感じたわ。

今中　ユモトの作品は他にもありましたが、なぜ「新木くんの家」を選んだのでしょう。

キキ　とにかく気に入ったの。それに、若いペインターたちのことが頭にあったの。今までにだれかがやってきた方法とは違うやり方で色や細部を追求しているアメリカのペインターたちのことがね。そういうアーティストたちに見せたらおもしろいと思うだろうなって。この作品は、そういうアーティストたちを想起させるわね。

今中 アウトサイダー・アート、コンテンポラリー・アートを問わず、他のだれかの作品を購入するとき、その決定的な理由は何ですか。

キキ それを欲しいっていう純粋な欲求ね。ユモトの作品も純粋に欲しいって思ったの。実は、あの作品を寝室に飾って毎日見ているのよ。全然飽きることがないの。ほら、作品を買って、それがなんだかしっくりこないことってあるでしょう？ ユモトの作品はそういうことがまったくないのよね。私は、色というものがとても難しく感じられる時期があって、だから色を使う人たちに興味があるの。なぜ作品を買うかというと、そこから何かを学ぶことができるからよ。私が知らないことを人は知っているわけでしょう。アーティストとして他人の作品を見ることは大事だわ。

新木友行（しんきともゆき）

蹴る。投げる。倒す。新木は大の格闘技好きである。モチーフはもちろん格闘技。プロレスから柔道、ボクシング、モンゴル相撲、少林寺拳法にいたるまで、技百選の雑誌を片手に嬉々として毎日飽きることなく描いている。大阪にプロレスの興行が来たときには必ず見に行くほどだ。

一九八二年生まれ。初期の作品はマッキントッシュで制作していた。アプリケーションはフォトショップ。最近では色鉛筆やペンシルを使ったドローイングに変化した。「パソコンは重くて家に持って帰られへんけど、色鉛筆と画用紙ならどこでも広げて描けるやん。それにパソコンの色は何かペタッとしてるし。色鉛筆のほうが色が鮮やかできれい！」と彼は笑う。本能的・感覚的に美しいものを嗅ぎ取る力がそなわっているのだろう。

新木の作品を見るたびに、ピカソの「人形を抱くマイア」を思い出す。マリ＝ロール・ベルナダック他著、高階秀爾（たかしなしゅうじ）監修『ピカソ―天才とその世紀』（創元社、一九九三年）のなかで、「片目は正面を向き、もう片目は斜め、二つの鼻孔を持つ横向きの鼻、大きな唇…。キュビスム時代のように、ピカソは同時に二つの角度から少女を描いた」と解説されている。

新木の作品は、二つ以上の角度から描かれている。彼は、ピカソの画集を見たことがないのでオマージュではないはずだ。美術の歴史を変革するために奇をてらったわけでもない。寺尾同様、ミステリアスなアーティストだ。

新木の作品は、まさに痛快と呼ぶにふさわしい。白い余白を背景として、肉体と肉体が力の限りぶつかり合い、格闘し、相手をねじ伏せようと技を繰り出す様子が、凝縮された形で描かれている。筋肉は力のあまり凄まじい形態に捻じれ、技を出す者は猛者の雄たけびを上げ、掛けられた方は苦痛に顔をゆがめる。人体の描写も鮮やかな色彩も、そのすべてが、今そこで展開されている技の素晴らしさを見る人に知らしめるという、たった一つの目的のためにある。「見よ！ この完璧なジャーマン・スープレックスの切れ味を！」「見よ！ 相手の胸元に突き刺さるように蹴りつけられたこのキックの力強さを！」新木の作品においては、技をより強調して描写するために、体は激しくデフォルメされ、時には目や耳の位置さえ自由に配置換えされてしまう。格闘技は拡張された私たちの身体の表現でもある。私たちは、鍛え抜かれた肉体を持つ格闘家たちに自身を投影し、彼らの戦いを追体験することでカタルシスを得る。それは人間の最も原初的な本能と結びついた欲求でもある。であるからこそ、私たちは格闘技に明快な結果を求め、また格闘技は太古からそうした人々の欲求に応えて来た。新木の描く作品もまた、その明快さを追求すべく、描かれる描線にも色彩の選択にも、全く微塵の迷いが感じられることはなく、どこまでも純粋で透明感に満ち溢れている。

（大島賛都『Atelier Incurve Exhibition at Suntory Museum』より）

普段は、植木鉢の花にていねいに水をやったり、訪れたお客さまをお見送りしたり。ホスピタリティ精神にあふれ、まわりに細やかな心配りを見せる。私の体調の良し悪しを一番に見抜くのは新木だ。

彼は、子どものころから数えきれないほど手術をしている。主治医は、死の淵を彷徨(さまよ)っていた赤ちゃんのころの様子を聞かせてくれた。現在も音声機能に障がいが残っている。聞き取れないときは筆談をしてくれる。そして喜びを大きな拍手で表現する。

ある講演会で新木の作品を紹介しているとき不覚にも涙があふれた。きっと私の何倍もの苦しみと悲しみを彼は越えてきたのだろう。新木のあふれんばかりの優しさが、過去の苦しみからきていることは痛いほどわかる。作品の中でうごめくレスラーより新木は強い。

武田英治

「おはようございます！」「れんらくちょう、ふくろ、てがみもってきました！」彼の朝は、スタッフ全員にあいさつと今日の持ち物を報告することから始まる。一人一人に報告が終わるたびに「よし！」と小さくガッツポーズをとる。今日一日が良い日かどうかがこの朝の日課にかかっているのかもしれない。

一九八〇年生まれ。制作のモチーフは一貫して雑誌の広告ページ。商品・漢字・ひらがな・アルファベット・数字。朝日新聞の森本俊司編集委員が武田の美術評を書いている。「……西洋の画家には、文芸に劣等感を感じているためか、文字情報としての表題から見る人の想像力が羽ばたくのを嫌がる人もいる。だから『無題』という素っ気ない表題が横行し始めたことを考えると、武田は意図せずに、文字の呪縛から絵画を解放したといえなくもない……」。

ドラクロワの『アルジェの女たち』をピカソは、『アルジェの女たち（ドラクロワによる）』として模倣した。伝統のより良い理解とそこからの自由を得んがためである。武田は、広告のページを模倣し、新たな秩序で画面を再構成していく。広告という拘束された世界から解き放つようにトリミングされた広告は本来の機能を消失させていくようだ。

彼は、下描きに驚くほど時間を費やす。何日も何週間もかけて鉛筆で描いた画面いっぱいの下描きを、突然なんのためらいもなく、消しゴムで一気に消し去ってしまう。そしてまた、一から描き直す。それを何度も繰り返し、画用紙はだんだん毛羽立っていく。下描きがようやく終わると念入りな彩色が始まる。

広告は、商品やサーヴィスなどの特徴、長所、魅力を伝達するために作られる。したがってそれはまず、絵や写真によって目を引く必要がある。そして次に、文章や文字によって正確な情報を伝えることが求められる。武田英治が描く対象として選ぶのは常に広告である。雑誌の広告ページの中から一点を選び、それを独自のやり方で描き直すのだ。その際、彼は鉛筆で何度も描いては消すことを繰り返す。時にはほとんど出来上がったかと思われた瞬間に全てを消し去り、また一からやり直しとなる。こうした長い試行錯誤の末にようやく下絵が完成すると、今度はその下絵が全く見えなくなるまで上から絵具を何層にも塗り重ねていく。決して大きな作品ではないのだが、描き始めてから完成するまでに、作品によっては一年もの時間を要することがあるという。武田の作品の魅力は、おそらくこの気の遠くなるような長い過程の中から生まれてくる。描いては消すという行為の果てしのない反復の中で、絵も文字も、本来持っていた目的と役割を剥奪され、すべて等しい価値を持つ純粋な形象へと徐々に還元されていくのだ。その過程はほとんど奇跡としか呼びようがない。そしてそのとき、私たちの視線は、純粋な見ることの快感に浸ることになる。

（冨田章『Atelier Incurve Exhibition at Suntory Museum』より）

武田は平和主義者だ。感情の乱れをインカーブで出すことはまずない。ただ夏の暑さだけは彼を苦しめる。扇風機を机の横に置き、汗を拭（ぬぐ）いながら描いている。まわりのアーティストの大きな声にも微動だにせず、雑誌の広告ページをめくりながら、一年間に一五枚程度の作品を完成させる。

乱れることのないリズム。自分が納得するまで続けられる描く行為。時計職人のように正確無比な所作。武田の感情の奥深くへ降りていくことは時として難しい。彼の所作からわれわれがいかに感じるかが試されている。

復讐を受け止める

封じられてきた根源的な権利の奪回

「封じられてきた」「根源的な権利」「奪回」……。政治活動家の言葉ではない。言葉の主は、二〇〇九年に開かれた第五三回ベネチア・ビエンナーレ日本館コミッショナー南嶌宏(みなみしまひろし)氏（女子美術大学芸術学科教授・前熊本市現代美術館館長）である。「現代美術の超新星たち　アトリエインカーブ展」で開かれたシンポジウムの登壇者の一人だ。

シンポジウムが行われる三か月ほど前にインカーブを訪ねてくれた。新木の作品を見つめながら、「美術教育とは何だろう?」とだれに話すでもなく口をついて出た。私もシュヴァルの理想宮を見てから同じことを反芻してきた。そしてインカーブのアーティストに出会って、美術は教育ではないとわかった。

後日、南嶌氏から一通のメールが届いた。「封じられてきた根源的な権利をどう奪回するかという闘争を、さまざまな局面でつきつけていく必要を痛感しています。見せていただいた作品は、何よりも今中さんの叫びの表れにほかならず、いろいろと考えさせられたインカーブ訪問となりました。お役にたてるかどうかわかりませんが、新ちゃん（新木）たちにはずかしくない仕事をしたいと思います。今後ともよろしくお願いします。御礼まで。みなみしま」。

南嶌氏の言葉に、私が長らく隠蔽（いんぺい）してきた心の奥の何かをこじ開けられたような気がした。インカーブは私も含めて障がい者の権利を奪回する闘争だったのか？　私は叫んでいるのか？　乃村工藝社時代にはない心の平安に包まれているつもりでいた。しかし、南嶌氏の言葉に心が動揺していた。

また南嶌氏が熊本市現代美術館館長時代に自ら展示会実行委員長を務めた「生人形と松本喜三郎展」に寄せた文章がある。「私は人間の無垢なる諸表現にヒエラルキーを想定する、その排除の哲学こそがアカデミズムの本質であることを、この生人形の調査を深める中で、改めて実感することになった」「依然として民衆から乖離し続けるアカデミズムが、自らの歴史でもある、近代から現代への捏造の権威の歴史にその内省のまなざしを向けることができるのかどうか、その大きな試金石として、この生人形の展覧会が存在するというべきかもしれないのだ」。アカデミズムへの反逆が私の心と同調したようだ。

また美術家の村上隆（むらかみたかし）氏について、「私は彼の作品のすべてを評価するわけではない」としながらも、「村上に勝利を思うのは、彼が日本絵画の本質とする〝スーパーフラット〟なる美意識においてでなく、美術の外部にあって私たちを救済してきたアニメやフィギュアといった、美術より一段下位に見下されてきた存在、それはグリコのおまけやTAMIYA模型、あるいはリカちゃん人形でもいい、そうした大量生産、大量消費され、その姿を現物として残すことなく、私たちの網膜と触覚を通して、心に、精神に、永遠の喜びを付与し続けてきた、聖と俗をともに称える真なる富を友に、その表現を果敢に世に問うてきたからである」と述べている。松本喜三郎の生人形と重ね合わされた感情は、インカーブの作品に向けられているようだった。

二つの復讐

「復讐」。

こんな刺激的な言葉を私に与えてくれたのも南嶌氏だ。シンポジウムの観衆に向けられた言葉はまたしても私を動揺させた。

私は、「インカーブ」という名前を聞いたときに、そして、その所以を聞いたときに、内角ぎりぎりのカーブというのは、野球が好きな人ならわかると思うんですけれども、ピッチャーの立場からすると命懸けの一投なわけです。当たれば、デッドボールではなくて、相手を死に至らしめるかもしれない一球を投げる、その覚悟において、今中さんがこのアトリエを立ち上げたと。どんな思いで、どんな覚悟でということを考えたとき、そして、今日改めてここで作品を見せていただいて、ああ、これは俺では到底描けないなという思いを、言い訳ではなくて、新たにしたんです。

南嶌氏は、大の野球好きなのだろう。内角を抉(えぐ)るカーブのすごみを知っていた。甲子園を目指していた友人がこんなことを聞かせてくれた。「カーブは恐怖を植えつける。もしかしたらからだに当たるのではないか……そう思った瞬間、肩が開き体勢が崩れる。気がつけばブレーキの効いたカーブは大きく軌道を変え、キャッチャーミットに吸い込まれる。一度、覚えた恐怖は簡単に忘れることはない」。内角を抉るカーブは、二つの復讐を南嶌氏に仕掛けた。

一つは、私は、恥ずかしながらこの美術の世界で生きてきて、美術評論を書いたり、何かを企画したりということをしてきたわけです。つまり、まずこの視覚、網膜を通して世界を感じるというところで仕事をしてきた。

ところが、この作品群を見せていただいたときに、「これが現代美術ですよ」とか、「これが美術ですよ」というそのフレームの中で、何か偉そうなことを言ってきた自分のその網膜が、復讐されることになる。この線の意味がわかるか。この色の意味がわかるか。インカーブという、その内角ぎりぎりに入ってくるカーブを投げ込まれるかのような、その覚悟に対して、私のこのいいかげんな網膜がまず復讐されることになる。

それから、もう一つは、こうした社会福祉施設の描かれた絵を売るということに対しての、根拠なき後ろめたさというものが社会に蔓延している。しかし、それに対して、今中さんは、それを資本主義そのものに突き返している。この作品がニューヨークのギャラリーで一点二百数十万円で売れる。そのどこが悪い？

つまり、福祉において差別を受けてきた方々は、資本主義において差別を受けてきた。一日労働しても数百円の手当しかない。その人たちが描いた作品が、数百万円で取引される。もちろん資本主義を、おそらく今中さんがすべてにおいて容認しているのではないと思う。おそらく憎悪を持っているんだと思います。

しかし、一旦その差別を投げかけてきたものに対して、この作品の美というものを投げ返して、それを資本化していく、経済化していくという作業、そのことにおいての復讐、この二つの復讐を、私は心の中で強く感じたわけです。上野千鶴子じゃありませんけれども、その当事者というところで、おそらく今中さんがある種の差別を受けながら世界とかかわってきたその思いが、この「インカーブ」という名のもとにおいて果たされているのではないかというのが、私の最初に受けた強い印象でありました。

南嶌氏のように美術と福祉に思慮深い人は日本でも稀だ。式場の事例でも紹介したように、美術と福祉をつなぐことは容易ではない。へたをすれば美術の世界からも福祉の世界からも葬られる可能性がある。特に日本では。南嶌氏の話を聞いていてそう感じた。危険を犯してでも美術と福祉をつなぐことのできる人。南嶌氏の話を聞いていてそう感じた。

ネグレクトしてきたもの

シンポジウムでわかったことだが、南嶌氏は日本の障がい者の就労環境、経済的閉塞感を熟知していた。またインカーブ以外にも高いレベルの作品が全国に点在していることや、美術界と福祉施設の溝、キュレーターのお役目、弱者をネグレクトする社会についても考えていた。

アトリエ インカーブ以外にも、日本の作業所、世界の作業所の中で、本当に面白い表現をつくり出している人たちってたくさんいると思うんです。しかし、それが今まであまり私たちの目に触れてこなかった。それと同時に、今日もおそらく出てきている一つの問題として、これをアートとして見てしまうという、あるいは、アートと見せるという戦略において評価を獲得していく。これは、一人、戦い合うところでもあるんですけれども、いずれにしても、私たちがこの作品を、今まで実はあることを知っていながら、ないもののように私たち自身が振る舞ってきたことへの、ある種の忸怩たる念みたいなものに対して、私たちは、ここで何かを一つ想起すべきだろうと思うわけです。

知っていながら知らないふりをすることで、私たちは自分の立ち位置を守ってきた。そして自我を形成してきたように思っている。しかし、それは自我を形成するには不十分である。なぜなら、自我は他我との相互共存からしか生まれないからである。異質なものを受容するには勇気がいる。もしかしたら自我が破壊されるかもしれない。それでも、異質なものが「ないもののように」振る舞っていては自我の確立は遠のいていく。異質なものの解釈。あるいは、それとの触れ方。それが南嶌氏の言う「一つ想起すべきもの」ではないだろうか。

「アトリエ インカーブのアーティストの作品も、初めそうした人たちの営みについて、私は無意識にそれをどこかでネグレクトしていた。無意識においてもネグレクトしてきたものに対して復讐はされる。でも、その後、その復讐を受け止めることによって僕は救われるという感覚というのは、美術においても、人間においても、社会においても、僕自身で今のありようを楽にしてくれているなという実感があります」と南嶌氏は語る。

ネグレクトした対象からいつか復讐されるかもしれない。人間だけでなく動物も自然もいつかは復讐してくるのではないか、そう思うことが私にもしばしばある。しかし、復讐を受け止めることで「救われるという感覚」が芽生えるというのもわかる。

知らん顔をしてすり寄ればネグレクトされたものは怒り心頭なはずだ。臨済宗中興の祖とされる江戸中期の禅僧白隠は「怒り」を肯定していた。ある人が「和尚はいつもニコニコしておられるが腹が立たないんですか?」と聞くと、「人形じゃないから腹は立つよ」。「でも怒ったところを拝見したことがありません」と言うと、「腹は立つけど怒らんだけだ」と答えたそうだ。

アトリエ インカーブのアーティストはきっと怒らないだろう。美術の世界からネグレクトされても復讐は企てないと思う。しかし、だからといって、ネグレクトしていいのだろうか。歯向かってこないから知らない顔をしていていいのだろうか。

この展覧会は、アウトサイダー・アートやアール・ブリュットのタイトルを捨て「超現代美術」と銘打ったことや、インカーブの認知度の低さ、一月下旬から二月上旬の寒さなどから、冨田氏も私も入場者数を一日百人と見積もっていた。

予想は大きくはずれ、一日の入場者数は平均五百人以上で予想の五倍、この時期にしては破格の数字だったという。主催が毎日新聞であるにもかかわらずNHKをはじめ五大メディア（読売、朝日、毎日、フジサンケイ、日経）を中心にテレビや新聞で大きく報道された。取材に来たマスメディアは、サントリーミュージアム［天保山］始まって以来の数だったようだ。また、『芸術新潮』でも特集を組むなど、美術界でも反響が大きかった。

「作品のチカラですね」と冨田氏は言ってくれた。それまで日本では顧みられなかった作品が、ようやく日本の美術界の扉をこじ開けた瞬間だった。アトリエインカーブのアーティストはネグレクトされなかった。

「読ませる作品」と「考えさせる作品」と「感じさせる作品」

私は、インカーブの作品を「感じさせる作品」だと思っている。理屈ではない作品。作為的でない作品。それがインカーブの作品である。茂木氏は「コンテンポラリー・アートの先にあるもの」といい、冨田氏は「現代美術の超新星」といい、南嶌氏は「復讐」といった。

キリスト教の宗教美術や古代エジプト美術は、鑑賞者に宗教を信仰させ神話を学ぶように促した。アーティストは、鑑賞者に「読むこと」を要求し、鑑賞者はありったけの知力を使ってストーリーを組み立てなければならない。漫然と対峙しても作品からの応答はない。

二〇世紀に入り、「読ませる作品」以外に「考えさせる作品」がアメリカで生まれた。現代美術といわれる作品だ。ジャクソン・ポロックの作品はストーリーがない。「読ませる」仕掛けは作品に内蔵されていない。またマルセル・デュシャンが一九一七年、ニューヨークのグランド・セントラル・パレスで開催された独立芸術家協会の年次企画展において、市販の便器に「泉」というタイトルをつけ、リチャード・マット（R. Mutt）とサインした作品は、協会から展示を拒否されてしまう。この作品は、それまでの芸術の価値概念に対して、「なにをもって芸術とすべきか」という問題提起を行い芸術を哲学として昇華させる「考えさせる作品」となった。

最近の現代美術は、「読ませる作品」が多くなってきた。解読してほしいとせがむ作品は観客にさまざまなヒントを与えてくる。ギャラリートークや情報過多の解説パネル、手持ちシート、音声ガイド。しかし、「読ませる作品」が美術としての尊厳を自ら貶（おとし）めているように思えてならない。

時代の流れと人の意識を読み、たくさんの人に「気に入られるためのアート」が作り出されている。それはアーティストの仕事ではない。市場動向を考え、戦略を練るなら、われわれデザイナーに勝ることはできない。アーティストは、「アートの領域」から「デザインの領域」に密かに忍び込もうとしている。
学ぶことを促した「読ませる作品」から哲学的な「考えさせる作品」、そしてふたたび「読ませる作品」へとアーティストの制作思考は変わってきた。次はどこにいくのだろうか。また「考えさせる作品」へと回帰するのだろうか。

私は、「感じさせる作品」に移行していくような気がしている。「感じさせる」といっても人体センサーや集音スピーカーなどの小手先の手法を使って「感じさせる」ものではない。「読ませる」ことも「考えさせる」ことも不可能な作品、それが「感じさせる作品」である。

他者に「受ける」「受けない」にかかわらず存在する「圧倒的な美」。インカーブのアーティストのつくる作品は「感じさせる作品」そのものである。それはまた学芸員の眼力を計ることのできる作品とも言える。

第七章 アトリエ インカーブの展開

流れて価値がでる

ギャラリー インカーブ

インカーブのアーティスト専属の発表の場所として、二〇〇七年九月から二〇〇八年三月まで大阪・南船場の農林会館に「ギャラリー インカーブ」をつくった。サントリーミュージアム［天保山］で行われた展覧会にリンクしたギャラリーだった。フィリスのニューヨークのギャラリーは海外のプライマリー・ギャラリーで、ギャラリー インカーブは国内のプライマリー・ギャラリーという位置づけだ。

アトリエは制作を行う場所で、ギャラリーは作品を発表する場所である。制作した作品を発表する場所があるというのは健全なことだろう。

年間予算のことを考えればアトリエとギャラリーを一体化したほうが運営は楽なの

だが、インカーブの場合はそれができない事情があった。

アトリエ インカーブは、あくまでアーティストが制作を行う場所である。そこに不特定多数の外部の人に来てもらうためのスペースがあるわけではない。まして精神的に不安定なアーティストの制作が妨げられてはいけない。インカーブが行わなければならない第一義は、アーティストの制作環境を守ることである。

「閉じること」は大切だ。福祉施設は、これまで地域に「開くこと」を意識しすぎたのではないか。あくまで主役は施設に入所する、または、通所する「利用者（インカーブではアーティストと呼ぶ）」のはずである。地域住民や社会福祉関係者などを意識しすぎたり、ボランティアに気を遣いすぎたりでは本末転倒になってしまう。「閉じること」と「開くこと」をいかにハンドリングするか、インカーブの役割はそれに尽きる。

同様にインカーブは見学者にも「閉じられている」。多くの福祉施設は、自由に見学者を受け入れている。地域に開かれた施設を目指す試みなのだろう。しかし、普通の仕事場に見学者が毎日くるだろうか。リクルートの時期に学生がツアーを組んでオフィスを訪れるくらいが関の山だろう。日常の業務より見学者が優先されるなんて普通はない。

インカーブは、一年に二回しか見学会を開いていないが、オープン当初は毎日のように受け入れていた。ところが、多くの見学者を前にしてパニックになるアーティストや制作ができなくなるアーティストが続出した。またスタッフは、アーティストの制作環境を守るための声かけや体調管理などの本来の業務以外の見学者への対応で過度の心労がもたらされた。私のハンドリングミスである。

　インカーブが「開くこと」が許されるのはアトリエの外だけである。その一つがフィリスであり、電通であり、サントリーミュージアム［天保山］の展覧会であり、そしてギャラリー インカーブである。

　ギャラリー インカーブは、約半年の期間限定のギャラリーだったが、将来に有益なデータがたくさん収集できた。まず大阪では「作品を購入する」という意識が希薄だということがわかった。インカーブのアーティストのネームバリューの無さが一番の原因だが、やはり国内のアート市場は東京に一極集中している。

　美術館の広報の人によると、関西の現代美術の固定ファンは、七千五百人〜一万五千人程度だそうだ。アートバブルが弾けた今の時期は、行政でも企業でも芸術や文化の費用が一番最初に削られるということだった。関西にはたった一万人程度しか現代美術のファンがいないのかと心寂しくなった。

　私は、エルメスジャポンでコミュニケーション＆ＣＲＭ担当ジェネラルマネージャーを務める藤本幸三（ふじもとこうぞう）氏に「現代美術に興味があるエルメスの海外顧客はどのようなルートで日本国内をまわるのか」と質問をした。藤本氏は、「大阪には文化のデスティネーション（目的地）がないので、彼らは東京を起点に京都に向かう。次に地中美術館のある直島、もしくは金沢21世紀美術館のある金沢に辿り着くルートを希望する」と話してくれた。しかし藤本氏は、「私にとっての大阪のデスティネーションはインカーブ。だから大阪に来る意味があるんです」と続けた。

確かに、全国の都道府県で美術館を持たないのは大阪府だけである。大阪府民の私としては恥ずかしい限りだが、文化の脆弱性では全国一なのだ。

実験的要素の強いギャラリーインカーブだったが、最大の収穫は「閉じながら開く」考え方を、インカーブ内で再確認できたことである。そして大阪の現代美術に対するモチベーションを知ることができたことだった。二〇〇九年秋、大阪から京都市中京区壬生に場所を移して「ギャラリー インカーブ｜京都」として再オープンさせる。東京一極集中を切り崩し、デスティネーションとなる場所を確保することが目的だ。

1／1と1／25

前にも触れたが、インカーブのアーティストの収益配分は明確に二つにわかれている。一つめは「アート」。二つめが「デザイン」だ。

「アート」は、今まで述べてきたとおりアーティストの作品である。収益は、必要経費（事務費用・搬送費用など）を除き、制作したアーティスト一人にすべて還元している。またインカーブでは、作品を販売するかしないかを、アーティスト本人の決定に委ねている。自己決定ができにくいアーティストの場合は、家族にも相談しながら、ゆっくりと時間をかけて判断していく。

作品を売らない理由はさまざまだ。あるアーティストの富士山をモチーフとした陶芸作品をコレクションしたいという話があったが、「これは、売らないいね」と素っ気ないそぶり。またあるアーティストは、「これは人に見せる絵じゃないのよ」といって部外の人に見せることも拒(こば)んだ。あくまで作品は自分の宝物。他人に売ることなど想定していないアーティストもいる。「売るぐらいなら、あげる」と言ったアーティストもいた。お金が作品と自分を切り離す媒体だと言っているようだった。

逆に、「作品をたくさん買ってほしい」とお金に執着を示すアーティストもいる。すべての知的な障がい者は、お金に興味がなく、とってもピュアで、人を騙すことなんてない……と、テレビドラマの影響を受けて考える人も多いが、そんなことはありえない。

インカーブの場合、売れればいい、儲かればいい、と考えて営利活動を行っているわけではない。あくまで、インカーブは社会福祉法人であり、主役はアーティストなのだ。彼らが自己判断（または家族が判断）して、お金の獲得方法を選択すべきだと考えている。アーティストと接していると、「働くことは金もうけだ」という考え方に違和感を覚えてしまう。「金もうけ」だけが至上の喜びではないことをアーティストは示してくれている。

しかし、うがった見方をする人もいる。私が厚生労働省と文部科学省の合同シンポジウムで登壇する前にある人物に呼び止められた。元キャリア官僚、元知事、現テレビのコメンテーター兼有名私立大学の教授だった。キャリア官僚時代は、障害者福祉課長を務めていた人物だ。「アトリエ インカーブってプロモーターのような団体だね。プロモーターってね、外国から芸能人などを呼んで興行を企画する人ってことなんだよ」と妙な笑みを浮かべながら彼は言った。アトリエ インカーブが行っているコトは福祉ではないと言いたげな彼の侮蔑的な言葉が頭から離れない。と同時に「インカーブはそのようにも見えるのか……」といい勉強をさせてもらった。

話は戻るが、「アート」に対して「デザイン」というのは、アーティストの作品原画を使用して、スタッフが「グッズ」化したものをさす。「グッズ」にはブックカバーやブロック・パズル、Tシャツなど現在約十アイテムがあり、企画・デザイン・試作にいたるまですべてインカーブ内で行っている。

「デザイン」の収益は、インカーブに在籍するアーティスト数を分母とし、均等に還

ポーチ

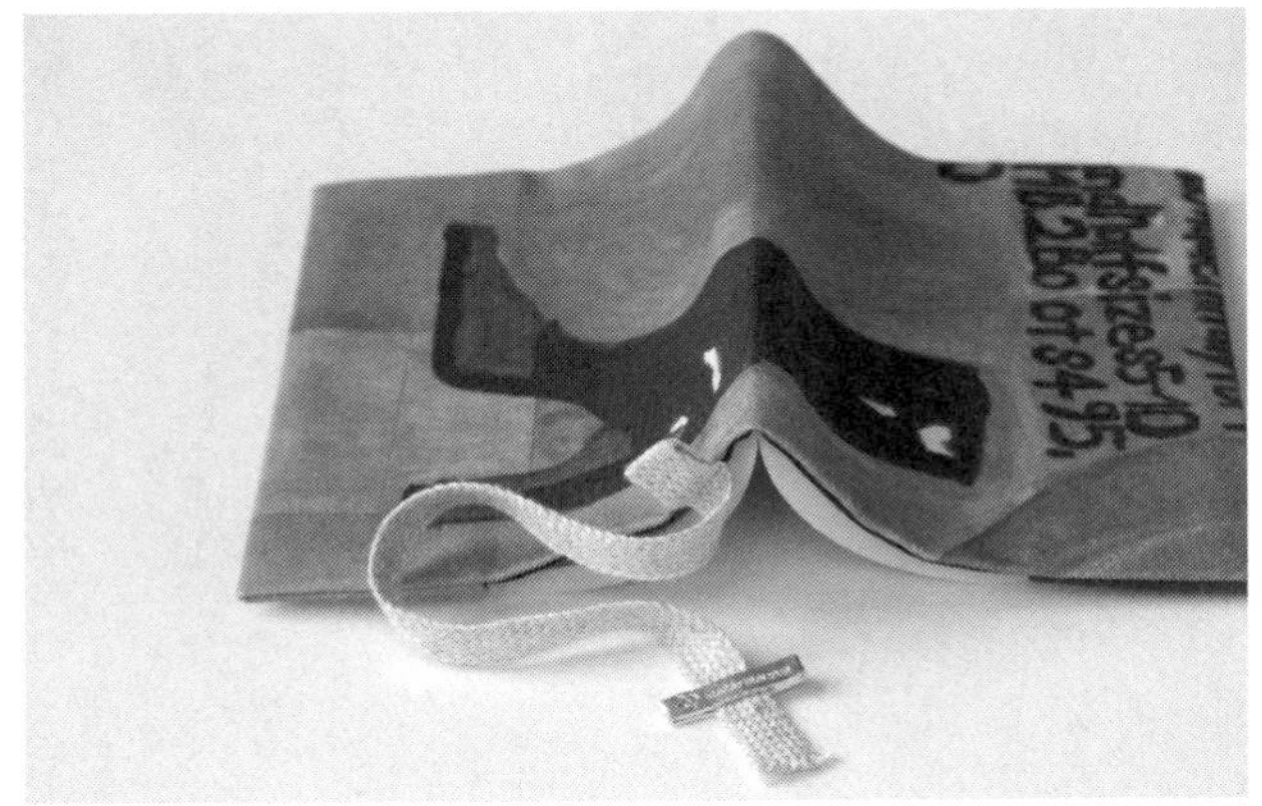

ブックカバー

元している。現在1／25である。「グッズ」の売り上げの大半は、美術館のミュージアム・ショップで得ているものだ。

収益分配に関して、「アート」は1／1。「デザイン」は1／25をルール化しているが、それ以外にも「アート」と「デザイン」の違いは明確に整理整頓されている。

例えば制作に関することだ。「アート」はアーティスト一人で完結されるものと定義し、「コラボレーション」と言われる協同制作はインカーブでは認めていない。認めない理由は二つある。一つめは、協同制作者（特に芸大・美大出身の自称アーティスト）への依存度が上がり、本来持っているクリエイティブな能力が損なわれるからだ。二つめは、協同者への思慕から別れるときに想像以上のプレッシャーを与え、ストレスを長く引きずってしまうためである。その傷は、作品に負の遺産を残すことになる。同様にスタッフが作品制作に手を貸すことは、絶対にしてはいけないこととして厳格にルール化している。

「アート」に関してスタッフが関与するのは、作品の保存（湿度、紫外線などの影響を極力避ける保存方法の研究も含む）、作品のデータ化（撮影・スキャニング）、額装、搬送の手配。そして国内外の美術館等との企画立案・交渉・宣伝材料のディレクションなどである。

「デザイン」として生まれてくる「グッズ」の製作指針も明快だ。アーティストの関与は、作品原画を貸すだけで「グッズ」製作には一切関与しない。理由は二つある。一つめは、「エッジを立てる」ことが必要だからだ。建築やインテリア、グッズでも同様だが、私はデザインを世に送り出すときに「エッジを立てる」ことを常に考えている。例えばケーキのパッケージをデザインし制作を工場に委託するとき、四方の角が垂直水平になっていなかったらどうだろう。曲がってたり、へこんでいたらどうだろう。建築も同じように壁と床、壁と天井の接点が施工精度を露骨に表すことになる。「エッジを立てる」ことは、アーティストよりスタッフが得意だ。

もう一つの理由は、前にも述べたように、ルーティンな作業はアーティストよりスタッフのほうが得意だからだ。一定の時間に一定のコトを考え、実行に移し、精度ある成果物をつくることは、インカーブに在籍する知的に障がいのあるアーティストは不得意だ。行政も企業もルーティンな作業なら知的障がい者が得意（得意でなくても可能）と思っているらしいが、それはイマジネーションの欠如である。きっとこの本を読んでいるあなたのほうが得意だと思う。

「アート」の１／１、「デザイン」の１／25の収益配分は私が決めたルールだ。ただ、これが予想に反して大きな葛藤を生むルールとなってしまった。

経済的価値と文化的価値

アートの価値観は、経済的価値と文化的価値の二重構造である。両者は、対立軸で語られるケースが多い。経済学者は経済的価値を優先し、芸術家は文化的価値を優先する場合が多いようだ。

一九世紀の西洋で、ブルジョア層と経済合理性に反発するかたちで経済的価値と文化的価値の対立軸が形成されていった。アーティストは、金のために作品をつくっているのではないと憤り、ブルジョア層からの独立を宣言し自由を手にいれた。ブルジョア層からの庇護(ひご)を求めないアーティストは、「何をつくるか」においては自由になったが、「金がもらえるかどうか」は不確実になってしまった。

ではアーティストは経済的庇護なしにどのようにして生き延びてきたのだろうか。アムステルダム大学で芸術経済学の教鞭をとるハンス・アビング教授は、著書『金と芸術――なぜアーティストは貧乏なのか?』(山本和弘訳、grambooks、二〇〇七年)で興味深い推論を展開している。一九世紀に独立を宣言し、反抗を繰り返すアーティストでさえも崇拝し擁護することが高尚なことだと考えるブルジョア層が出現してきたというのだ。

さらに、国家も他国からアートを理解する文化国家と見られたいとの下世話な思いからアーティストを崇拝・擁護し、結果的にアートは市場ではなく国や企業、ブルジョア層からの「贈与」で成立するようになってきた。また「贈与」が市場価値とは異なる文化的価値を保障する仕組みにもなっている。それ以来、西洋のアートには、市場性の否定と肯定を孕む二律背反の構造が生まれたとアビング教授はいう。

国や企業、ブルジョア層が行った「贈与」はアートのためでもアーティストのためでもない。自分たちが永続的に存在することと自己名誉のための冠にすぎず、それは、アーティストの生命力を脆弱化させたと結論付けている。

では、近代日本のアートには、経済的価値と文化的価値の対立軸は存在したのだろうか。美術評論家の若林直樹（わかばやしなおき）氏は次のように述べている。

一九〇七年、明治四〇年の文部省美術展覧会、いわゆる文展の設立は、結果的に見れば日本美術の創造力を呪縛していた封建的気風と官僚追従姿勢を固定化してしまう国家機関の設立だった。しかるべき勢力、たしかな血統、政府に近い流派に属した画家、彫刻家、工芸家だけが国によって作品公開の場を与えられ、国やその支配階級に買い上げられる保証を得たからだ。個の表現を追求した者や社会問題に目覚めた者もいたけれど、彼らの仕事が孤立し継承発展させられなかったのは、ひとえにこの巨大な国家機関の存在だったと言える。（中略）なにせ、洋画だろうが日本画だろうが、国家=天皇の権威によって品質保証されるのだから、消費者は文展の示す作品の序列に異議を唱えられない。市場原理は無視され続けた。日本の美術市場の不活性は、国家による和洋の分立に起因していたと言ってもいい。

（『退屈な美術史をやめるための長い長い人類の歴史』河出書房新社、二〇〇〇年）

文展が設立された一九〇七年といえば、西洋ではブラックとピカソが共同で創造した絵画の革命的様式キュビズムが誕生し、イタリアの前衛的芸術運動未来派が誕生する前夜だった。若林氏が指摘するように、市場原理ではなく国家権力によって美術界が公然と成り立っていた日本では、アーティストが市場に目を向けることなど考えも及ばなかったはずだ。これが現在の日本のアート市場の不活性につながっている。

このように日本のアーティストは西洋よりも権力的圧力がかかり、自由から遠ざけられてきたと言ってもいい。特に庇護・擁護の絶対的対象とされてきた日本の障がい者は、国の教育的管理体制に従属させられ、アートを制作する自由も見出すことができなかったはずだ。ましてや、経済的価値や文化的価値の自己確認などままならなかっただろう。

アビング教授は、母国のオランダ政府が現代美術に助成することで美術界を変えてしまったと指摘している。政府は、貧乏なアーティスト支援を大義名分にするが、それは政府の自己欺瞞だと糾弾する。

またアビング教授は、アーティストは概して貧乏であると結論づけた。その理由として、アーティストは必要以上に金を求めない生き物であり、政府の助成でアーティスト志望者が無節操に増え、貧乏人アーティストになるのだと語っている。

私は、公のアート・パトロンの存在を否定しようとは思っていない。とくにインカーブのような広義の公的機関では、積極的な公のアート・パトロンの出現が望まれる。アビング教授のいう「アーティストは貧乏を肯定している生き物」というのは、大学の教授職で生活費を担保し、自称アーティストとして金を浪費しているハイソな金持ちが貧乏人をみているようで、どうも合点がいかない。また「政府による助成が貧乏人アーティストを生む」というのも賛同できない。

公の介入を怖がっていては、アートが育たない。強権的な公をいかにハンドリングしコントロールするかが問われているのだ。公の役割をもう一度確認する時がきている。

アーティストの活動も金額の大小はあるものの経済活動の一部であり、それだけで経済的価値は生まれているはずである。また「社会的なすべての集団的生活・行動様式とそれを生み出す諸々のシステム」が文化であり、「共同体」を持つことが文化特有の性格だとするなら、インカーブという共同体の中でアーティストは集団的生活を行い、管理・教育を行わないという行動様式を享受している。それだけで十分に文化的価値を有していることになる。

アートの経済的価値と文化的価値の対立軸を探すことは容易なことかもしれない。しかし、インカーブは二項を対立させて考えない。理想主義と呼ばれようが、経済的価値を高めながら、同時に文化的価値も高めなければならない共同体なのだ。なぜなら社会福祉法人だからである。一個人の趣味や運動ではない。アーティストの経済的保障を少しでも高め、作品の正当な評価を世に問うことがインカーブという共同体が背負った宿命なのである。

著作権を守る

人が心で思ったことを個性的に表現したものを「著作物」という。著作物をつくった人を「著作者」といい、著作者は、その著作物の利用を独占する「著作権」を持っている。著作権は、著作者に対して付与される財産権の一種であり、著作権の対象である著作物を排他的に利用する権利を、著作者に対して認めるものだ。ちなみに著作権は、作品が創作された時点で自動的に付与され、権利を得るための手続きは不要である。

少々ややこしい話ではあるが、これが日本の「著作権法」の概略である。インカーブは、この法律に基づいて、著作者であるアーティストの文化的・経済的価値と権利を守り、法に基づいて年に一回、契約更新を行っている。契約内容は多岐にわたるが、著作権についてもアーティストとインカーブの合意を持って進めている。通常の福祉施設では、著作権などの手続きはほとんど行っていないだろう。かく言うインカーブも、ニューヨークのフィリスと契約を締結したことがきっかけで行うようになったのだ。当初から著作権に敏感だったわけではない。

著作者の持つ権利は大きくわけて二つある。一つめは、「著作者人格権」と呼ばれるもので、アーティストの精神や感情を守るための権利である。これには「公表権」と「氏名表示権」と「同一性保持権」の三つの権利を定めているほか、アーティストの名誉・声望を害するような著作物の利用は著作者人格権を侵害する行為とされている。著作者人格権は、一身専属と呼ばれ、他人に譲渡できない権利である。

二つめは、「著作権」。財産権としての著作権を意味し作品の利用に関する権利だ。「複製権」「公衆送信権」「展示権」「翻訳権、翻案権」など十種類強の権利に分類されている。財産権としての著作権は他人に譲渡できる権利である。

インカーブでは、アーティストは、「著作者人格権」をインカーブに対して「行使せず」（譲渡できないので）、「著作権」はインカーブに「譲渡」するという契約を交わしている。権利を「譲渡」する（あるいは行使しない）状態は、アーティストの作品に関するすべての権利をインカーブが持ち、アーティストの自由意志が尊重されないような印象があるかもしれない。しかし、作品のアウトプット（展示や販売などアーティスト活動のサポート）を行う上では、権利を集約して管理する必要がある。権利を持つということは、インカーブ主導で作品を扱えるということであるが、同時にアーティストの活動を守る（他者に乱用させないなど）ことでもある。

また権利行使の主体を見ればインカーブが主導的な立場に見えるかもしれないが、前述したように、あくまで作品の売買は、アーティストの自己決定を第一義としている。アーティストとともに家族の同意も必須条件である。

インカーブのアーティストは総勢二五名。たった二五名でも、著作者の権利を守るための業務量は膨大なものになる。一般的な美術界や福祉施設のアート制作現場では、日常の労働の過多を理由に、著作権に関して未整備なままである。ある意味、アーティストの人権を侵害しているともいえる。文化的価値を問うなら、アーティストの創造的権利を整理整頓することが先決だろう。

パーマネント・コレクション

流す価値、留める価値

時を経てモノが残っていくには市場に流して経済的価値が付くか、パトロンが過分な愛情を注いで文化的価値を高めるか、そのどちらか、または両方がなくては成立しない。

インカーブは、作品に経済的価値を付けるために二つの市場（ここでいう市場は競り人が需要者と供給者のあいだを取り持つ物理的な場所をさす）に参入している。市場は事業内容同様「アート（作品）」と「デザイン（グッズ）」に分かれ「流す価値」を生み出している。

「アート」の市場は、海外のプライマリー・ギャラリーであるフィリス・カインド・ギャラリーと国内のプライマリー・ギャラリーであるギャラリー インカーブに分かれているが、インカーブでは「一物一価の法則」を採用している。つまり、ニューヨークでフィリスが販売する作品価格とギャラリー インカーブが販売する作品価格を同額としている。

当初、「アートを買う」習慣の少ない日本人には、フィリスが設定する高額な作品価格では見向きもされないだろうと心配していたが、年が経るごとに国内でもアート・パトロンが増え、「一物一価の法則」が受け入れられてきた。海を越えて同額の作品が売買されているという意味では、同一の市場と呼んでも差し支えないだろう。

一方、「デザイン（グッズ）」は前述したように社会福祉法人としての金の使い方に限界があり、供給できる量が制約されている。需要を喚起できているとは言いがたい。ただ、「デザイン（グッズ）」の主な役割は二五名の基礎的給与の確保とインカーブブランドの認知である。スタッフの過剰労働を避けることを考えれば、いたしかたないと考えている。

「流す価値」と対をなす「留める価値」を生むためにはパーマネント・コレクションが必要だ。国内外の現代美術系の美術館がインカーブの作品をパーマネント・コレクションしたくなるようなシステムをデザインしていかなければならない。「流す価値」を追い求め過ぎると、気がついたら手元に作品が何もない、ということになりかねない。経済的価値を求めすぎると文化的価値の表現媒体が姿を消してしまうのだ。ただ、施設の納戸に留めていては価値が生まれない。それどころか湿度対策や紫外線対策が行われていない納戸に保管していたら作品がすぐに傷んでしまうだろう。ここでもスタッフのハンドリングが大切なのである。

美術館の基本はコレクションにある。どのような領域の作品をコレクションするか。作品にどのような価値を付与するか。日本にも「留める価値」をつくり出す眼力と勇気のある学芸員が必要である。

四つの理由

美術館の役割には「時代の状況を伝える」ことがある。そのためには「時代をよく表現している作品」をコレクションしなくてはならない。しかし、時代の趨勢がいい意味で学芸員の目を狂わす。西洋では一九世紀末から二〇世紀初頭にかけてアカデミックな作品が隆盛を極めていたが、時代の最先端を走っていた印象派が評価されるあまり、まるでその時代には印象派しかなかったかのように美術史は形成されコレクションの対象になっている。

また歴史的な資料は、過去の評論家や美術史家が淘汰を行ってきた残骸である。しかし、同時代を扱う場合は、歴史的淘汰を学芸員が担うことになる。学芸員がとりあげたものが歴史になる可能性が大きい。現代美術を扱う学芸員には、同時代の空気を嗅ぎ分ける鋭敏な嗅覚が求められる。

ところが、日本ではパーマネント・コレクションの展示、いわゆる常設展示には人が集まらない。過去を振り返れば、集客を目指す美術展はデパートが長けていた。そもそも人的な「サービス」は徹底されている。敷居が高く、人的サービスも少ない公共の美術館と公共のマンパワーでは太刀打ちできるはずもない。

ホスピタリティーの高いデパートの美術展を体験した客にとって、美術館のパーマネント・コレクションは保存するもので観る対象になってはいないのだろう。特別展を観に行くのが美術館に行く動機なのだ。またデパートの美術展に来た客は何かを買い求め金を落としていく。美術展だけで儲けを見込んでいるわけではなく、美術館のように入場料と図録だけが収益源ではない。

昨今の国内外の美術館運営は「収益第一主義」になってきた。日本では、指定管理者制度の導入にともない単年度予算の枠がなくなり、収益があがったらそれを貯めることができて次の展覧会に使える。また将来を見通した計画も無理なく立てられることになる。一方で、アメリカの美術館はそもそも財団法人だから、日本と違って自分たちでお金を集めてきた歴史がある。日本の美術館にもグローバリズムの波が来ている。近い将来、館長はじめ学芸員が金集めに奔走する姿が目に浮かぶ。

国内外を問わずパーマネント・コレクションへの欲は、いっそう鈍化することは間違いない。寄贈されたところで保存するスペースを充分確保するためには増築が必要となる。でもその費用が捻出できない。ただ置いておけばいいというものではない。湿度などの管理費も馬鹿にならない。負のスパイラルは続くばかりだ。

それでもなおインカーブは、「現代美術館でのパーマネント・コレクション」にこだわりたい。その理由は四つある。一つめは「ノーマライゼーション」（これについては次項で述べる）、二つめは「作家の認知獲得」、三つめは「ポリティカル・コレクトネス」（政治的正当性）、最後は「市場の創出」である。

いままで述べてきたアート・パトロン（コレクターと言い換えてもいい）の行動原理を「個人的趣味と投資的意味」、ギャラリストの行動原理を「儲けと美術関係者としてのプライド」とすると、「投資」と「儲け」のいずれも、作品の「価値保証」が必要になってくる。

単に「名誉」の獲得だけが、「現代美術館のパーマネント・コレクション」を望む理由ではない。市場に影響を与えるという意味でも非常に重要なのだ。

意味を与える行為

社会的な意味で「現代美術館でのパーマネント・コレクション」にこだわる理由を上げるなら「ノーマライゼーション」である。私はその言葉を「カテゴリーの破壊」と訳したい。よって当たり前に地域に建つ既存の「現代美術館でのパーマネント・コレクション」に固執したいのだ。

「アウトサイダー・アート美術館」や「アール・ブリュット美術館」などもってのほ

かである。それはただのカテゴリー化された美術館というだけではない。日本ではアウトサイダー・アートもアール・ブリュットも「障がい者のアート」という間違った認識が形成されている。障がい者アートを癒しの対象、教育・管理の対象として見てきたのだ。その歴史を踏まえると、このようなカテゴリー名を使うことは自殺行為だと言える。「……蒐集とは、単にものを集めるという行為ではない。それは〈もの〉に意味を与える行為」だと立命館大学文学部松宮秀治（まつみやひではる）教授は『ミュージアムの思想』（白水社、新装版二〇〇九年）の中で述べているように、コレクションという行為には、モノを曲解させる力も伏在しているのだ。

日本でパーマネント・コレクションを目指すには、評論家や美術史家の評価が高まり、それが市場の評価となって学芸員の目に留まるという流れがある。当然その流れは一様ではない。インカーブのように海外に渡り、日本に帰ってきてから評価が高まる場合もある。一方アメリカは寄付文化が根付いている。まず個人オーナー・企業オーナーが作品をコレクションしたあと、美術館に寄付するのだ。

ところで、日本ではインカーブの作品にどのような条件と価値が付けばパーマネント・コレクションとして扱われるのだろうか。あくまで収蔵スペースが余っていることを前提として、公的美術館の現役学芸員に聞いてみた。①個人オーナーや企業オーナーから美術ピースを寄贈。②常設展を目標に一〇〇点を収集。③インカーブのアーティストの魅力を理解できる現代美術館を探す（例えば世田谷美術館、国立国際美術館、東京都現代美術館、兵庫県立美術館）。

福祉業界では、障がいのあるアーティストがつくる現代美術を、さまざまなカテゴリーに押し込めてきた。まるで視覚障がい、身体障がい、知的障がい、精神障がいなど障がいの部位別に障がい者団体をつくるように。「そんなこと、もうやめませんか」と言いたい。アートはアートだと、なぜ、主張しないのだろうか。

カテゴリー化された「新たなハコモノ」など必要ない。現在の日本の公立美術館では年間経費の一〇％カットが命題となっている中で、「新たなハコモノ」を建築することは民意がゆるさない。またハードをつくってもソフトがない行政主導の「仏作って魂入れず」のプランにどれだけわれわれは悔しい思いをしてきたか。

美術作品は流通することで価値付けされる。逆に言えば、一つのジャンル、一つの美術館に囲い込んでしまうことで作品（作家）の成長を止めてしまう可能性を孕（はら）んでいる。「流す価値、留める価値」を見直していくべきである。

金平糖の先っぽ

コンテンツとシステム

インカーブが行う事業を「システム」、アーティストのつくり出した作品を「コンテンツ」として捉えてみよう。システムは、「内向的なコト」と「外向的なコト」に分かれる。インカーブが最も重視するシステムは「内向的なコト＝守備」である。スタッフには野球にたとえて、「相手チームを〇点に抑えれば絶対に負けない」といっている。

「守備」の範囲は非常に広い。アーティストの体調管理、悩み相談、家庭内の聞き取り、行政との打ち合わせ、画材の選択等々。個別支援計画という書類で半年に一回、アーティストと父母、スタッフが同席して相談し、随時、計画の微調整を行っている。細々した事案が山ほどある。でも、これをおろそかにすると、先頭打者に四球を出して、ヒットを打たれ、エラーで点数を取られる最悪パターンの試合になってしまう。

美術館やギャラリー、大学教育、マスコミ等々に、インカーブの魅力とアーティストの能力を正確に伝えることが「外向的なコト＝攻撃」である。

インカーブの「攻撃」は、一年間に一回か二回に限定している。あくまで、インカーブは守備型のチームである。それは社会福祉法人の基本でもある。社会福祉団体のなかには、音楽祭や展覧会、語り部、バザー、国際協力、研究活動……まるで広告会社ばりに動き続けているところもある。

攻撃型の団体は派手だが、守備が弱い。そのような施設では、ゆったりとした空気は流れにくいはずだ。スタッフの本来の仕事はアーティストとの対話である。守備＝九割、攻撃＝一割。このような仕事の配分がインカーブの理想型である。

脳科学者の茂木健一郎氏は、著書『すべては脳からはじまる』（中公新書ラクレ、二〇〇六年）の中で「モノやサービスをつくる者と、それを流通させる『システム』とのあいだには、潜在的な対立関係がある。とりわけ、一人一人の個性が際立つことを夢見る創造者とシステムとのあいだの齟齬は深い。個々人の思いを託した作品も、システム側にとっては一つの『コンテンツ』にすぎない。個人の悪戦苦闘の結果が、システム側にとっては流通させるための『素材』にすぎないのである」と述べている。

ではコンテンツとシステムの齟齬を起こさせないための方策はあるのだろうか。それは「同じ釜の飯を食う人数を絞る」ことである。生活を共にしお互いの顔色が判断できる人数を少なくすることだ。インカーブを法定制限ギリギリの二〇名定員でスタートさせたのも、コンテンツとシステムを一体化させたいがためだった。

「同じ釜の飯を食う人数を絞る」ことに普遍性がないことはわかっている。しかし、個人と個人がしっかりと向き合わなければコンテンツとシステムの齟齬は解消できない。しっかりと向き合うためには守備＝九割が肝要である。

感じるこころ

二〇〇八年四月、一通のメールが届いた。

……たとえばアートにしても、評価の基準はメディアを通した情報を鵜呑みにし、価格がアートの価値に直結している風景をよく見ます。でも、知識や情報ではなく「感じるこころ」が育っていれば、もっと広く、自由になることができ、その「感じるこころ」のうえに知識が入ることが重要だと思っています。もっと、じぶんの感覚を大切にできる「こころ」がこれからの日本には大切になると信じています。こんなことを考えているときにアトリエ インカーブさんのことを知りました。作品をテレビで観たときに釘付けになりました。自由でした。

教育とか、常識とか、技術とかではなく、いままで感じたことを形にしていると思いました。すぐに山口智子さんに電話をして、会ってこの話をしました。彼女も興奮してホームページの作品を観てくれました……小野光治　ダイアモンド

東京・燕子花　会場

ヘッズ

メールをもらって一か月後、小野光治（こうじ）さんと奥様の文美（あやみ）さん、山口さんの三人がインカーブに来られた。小野さんが所属するダイアモンドヘッズは、企業のブランド戦略・販売戦略立案やＣＩ計画を行う日本でも有数の会社である。そこで小野さんはディレクターをしている。山口智子（やまぐちともこ）さんはご存じ、女優の山口智子さんだった。

小野さんからインカーブに興味を持った経緯をうかがった。いままで、嫌というほど戦略家といわれる人に会ってきた。その戦略家は、いつも前のめりになって自己主張していた。一方で、小野さんにはその空気がない。

小野さんの隣に座る山口さんは文美さんといっしょに作品ファイルを見ていた。ページの繰りかたがとても穏やかだった。壊れ物でも扱うようにていねいにすべてのファイルに目を通した。アトリエ インカーブが誕生して以来、これほど嬉しそうにすべての作品を見てくれた方は初めてだ。四時間以上経っただろうか、山口さんから「いつか東京の燕子花（山口さんのギャラリー）でごいっしょできませんか」と話があった。

私は「お願いします」と即答。三人それぞれがアーティストを愛してくれている。本気の「感じるこころ」が嬉しかった。こうして、東京・中目黒の燕子花で寺尾と新木の展覧会が開かれた。「本当に愛してくれる人に見てもらおう」。人数を限定して、作品とアーティストとの対話を楽しめるように小野さんがディレクションしてくれた。このときに来てくれた何人かの人が、インカーブのサポーターに名乗りを上げてくれた。

山口さんは、寺尾の二メートル角の黒キャンバスに白いインクで鉄骨図面が描かれている作品を購入してくれた。寺尾の代表作だ。昔から燕子花にあったようにフィットした。「きちんとした形で、いいお金の使い方をしたいので」と話す山口さんの目には、障がい者の寺尾ではなく、アーティストの寺尾が映っていたに違いない。

小野さんと山口さんと話をして気づいたことがある。きっとこれがインカーブの求めるパトロネージなのだ。社会的地位のあるもの、富めるものが自らの豊かさを世の中に還元する押し付けがましいグレース・オブリージュではなく、ましてや一部の日本企業が行う会社利潤を基本に置くCSRでもない。

そしてもう一つ。それは「時間をかける」こと、「急がない」ことだ。小野さんと文美さんは一か月に一回、東京からインカーブに来てくれた。アーティストと卓球をし、ご飯を食べ、笑い転げてくれる。涙がでるくらい嬉しかった。

私は時間をかけて、急がずにアーティストと向き合ってきただろうか。攻撃的な守備をスタッフに強いてきたのではないだろうか。三人は「感じるこころ」を私に気づかせてくれた。

後日、山口智子さんがメールをくれた。彼女の誠実さと優しさが心に沁みた。

初めて心が動くアートに出会えました。
彼らの作品は、
木漏れ日のように、
よせくる波音のように、
枝葉のさざめきのように、
私たちの細胞ひとつひとつを、健やかに奮い立たせてくれます。

大木の幹にずっと寄り添っていられるように、
彼らそれぞれの、世界でたったひとつの個性の前に、
出来る事なら何時間でも、毎日でも、たたずんでいたいなあと思いました。
私たちは、なんてチャーミングな命の原石であるか。
まっすぐに心を込める先に、なんと爽快な飛翔が待っているか。
感じ合える波動で会話する楽しさ。
幸福な心がもりもりと育つ嬉しさ。
彼らとの出会いに心から感謝します。
そして、溢れる愛と清らかな知力で、
道を邁進する今中さんを心から尊敬します。

山口智子

金平糖の先っぽ

私が抱え続けてきた「葛藤」がある。
アトリエ インカーブが誕生して三年足らずで、ニューヨークで評価を得た。いつか眼力を持つギャラリストや学芸員が現れるはずだ。そう思いながらも、こんなに早

く光が射すとは思ってもいなかった。

寺尾を含め五人のアーティストの快進撃は続いた。国内でも五人を中心に美術館主催の展覧会が企画され、テレビや新聞の取材陣がインカーブに押し寄せた。当然インタビュアーは五人にマイクをむけ、カメラマンは五人をファインダーに収める。

五人のモチベーションは大いに高まった。だが、残りの二〇人のアーティストは苦しみの中にいた。インカーブでは評価を行わない。すべて外部のギャラリストや学芸員に委ねている。彼らは文化的価値と経済的価値を判断し、冷酷にタブローとして評価していく。

「いままで評価対象にならなかった障がい者のアート活動を『普通の状況』に押し上げたことは、意味のあることだ」と外野の人間は言った。「日本の障がい者施設はどこも同じ、朝から体操して、軽作業して、昼ご飯食べて、三時になったら、サヨウナラ。まるで金太郎アメ。夢も希望もないの」。見学に来るお母さんがよく言う決まり文句である。

しかし、二〇人は五人との違いを感じていても、その違いを見て見ぬ振り。「普通の状況」は二〇名に苦しみを強いたのだ。これがインカーブの負のシステムである。インカーブの誕生時から知る厚生労働省のキャリア官僚は、「インカーブは金平糖の先っぽ。決して金平糖の真ん中になってはいけないわ。日本全国、インカーブのような施設ばかりだと……どうかな……少し違うわね」と話していた。

確かに、金平糖の先っぽが中心になるべきではない。格差を生む「普通の状況」を内包する福祉施設が全国に蔓延(まんえん)してはいけない。しかし、金平糖の先っぽがなければどこにでもある特徴のない金太郎アメになる。

では金太郎アメ型の福祉施設は駄目なのか。決してそうは思わない。人は同じことの繰り返しに安心感を得る。テレビで毎回同じようなパターンが繰り返される時代劇が一定の視聴率を稼ぐのも同様の原理である。ノン・ストレスなのだ。一度、見聞きしたことに安心感を覚え、気疲れすることがない。時々、奇想天外なことが起きるから楽しいのである。

とは言え、五人の才能を正当に評価することは悪なのか。寺尾は、健常者からのいじめに苦しんできた。「障がいのある人をいじめないでください。とっても辛いです」。寺尾が金沢美術工芸大学で非常勤講師として登壇したときの言葉だ。寺尾に生きるプライドを与えたのは作品の評価だった。

インカーブは、歪なシステムをつくりあげてしまった。作品が評価され光のあたる五人と光のあたらない二〇人。毎日、同じ釜の飯を食いながら光の違いを見て見ぬ振りをするアーティスト。違いを自ら認めてしまっては取り返しのつかないことになってしまう……。きっとそう感じながら制作をしている二〇人。

一般的な市場への挑戦を掲げた時点でさまざまな「ルール」が課せられる。そして「葛藤」が生まれる。その矛盾は澱のように沈んで消えることはない。でも、それを確信的に抱え込むことでインカーブのシステムは成立しているのだ。

「葛藤」とは葛と藤のつるが絡まり合う様だという。大きな喜びと深い悲しみのつるが絡まり合いながらインカーブはある。「金平糖って、先っぽがあるから金平糖なのよ。先っぽにも存在意義があるのよ」とキャリア官僚が言った。先っぽであることは、同時に「葛藤」が続くことを意味していた。

見世物小屋なのか

展覧会や大学の講演会でアーティストの「ライブ・アート」を行うことがある。私がパワーポイントでインカーブの概要やアーティストの作品などを紹介し、アーティストが観衆の前で作品を描くのだ。参加型のワークショップの類ではない。

寺尾や新木は、「ライブ・アート」で作品を描くことが大好きだ。特に新木がライブをすると子どもたちがまわりに寄ってきて離れようとしない。いつの間にか、新木のそばで絵を描き出している。

当初私は、「ライブ・アート」を行うことに躊躇していた。アーティストは、緊張して体調を壊さないだろうか。当日の興奮がその後の制作に影響しないだろうか。す

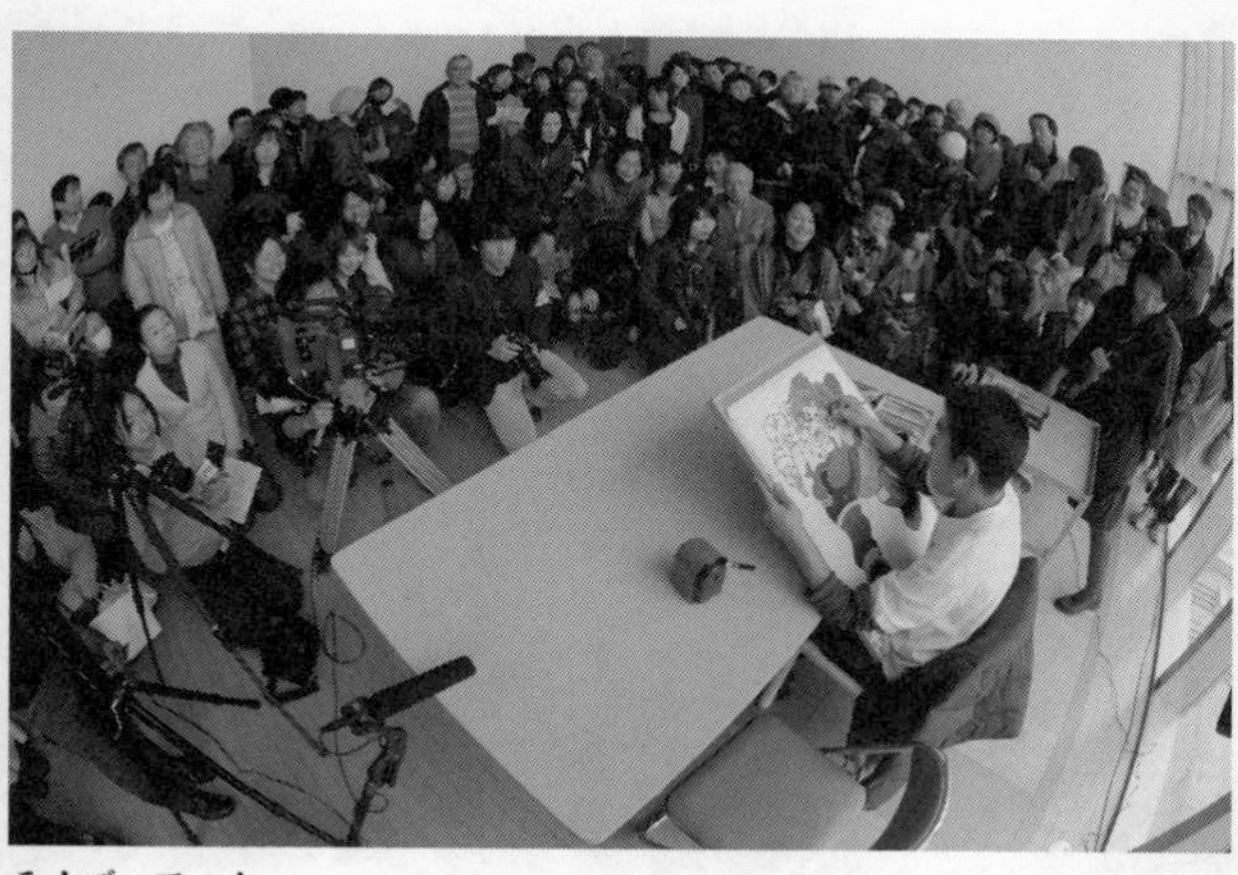
ライブ・アート

べてのアーティストが対応可能ではないが、寺尾や新木は心配無用だった。モチベーションは上がり、日々の制作にもまったく影響が出なかった。

展覧会の主催者側は、アーティストがどのような筆使いで作品を作っていくのか、どれぐらいの筆圧なのかを目の前で見てみたいという単純な興味で、「ライブ・アート」を講演に入れていく。私も観衆の立場なら目の前で彼らの熱量を感じてみたいと思うに違いない。

アーティストが「ライブ・アート」を行うと、観衆は私のありきたりのプレゼンテーションなど目もくれず、寺尾や新木の手元に目が釘付けになる。アーティストと作品全景を狙うカメラ、アーティストの顔の表情を追うカメラ、絵を描く手元を狙うカメラ、映像は背後のスクリーンに投射される。アーティストの独壇場(どくだんじょう)だ。

しかし、「ライブ・アート」が終わって数日たったころに意外なメールが届くことがある。届くといっても直接私に届くわけではない。主催者や私の友人を介して届くのだ。内容は「あれじゃ、見世物小屋みたいだね」「まるで障がい者が猿でインカーブは猿回し。なんだか、嫌な感じ」というものだ。

アーティストは内発的な力を持ち、自らの制作活動をみごとにコントロールし、観衆から喝采(かっさい)を浴びたではないか。そして障がい者用の出演料ではなく、一般的な出演料をもらったではないか。それが見世物小屋なのか。それが猿回しなのだろうか。

障がい者が観衆の前で演技を行い慈悲の金を恵んでもらっているという解釈だったのかもしれない。アーティストではなく障がい者と映っていたのだろう。世の中は標的をつくりたがるものである。ちなみに見世物小屋メールの主は障がい者福祉の関係者だった。

「生きがい」と「就労」と「イチロー」

「パラリンピックは障がい者用に『ルール』を改変するが、アートはそれができない。『生きがい』としての制作活動もあり、『就労』としての制作活動もありなのではないか。みんながプロアーティストになれるわけではなく、ほんの一握りの人間がプロアーティストになれるのだ」。大阪府の懇談会で同席した国立国際美術館建畠哲館長がこのようなことを語っていた。「生きがい」としての制作活動と「就労」としての制作活動。二項が対立することなく共存すべきだと言うのだ。私も同感である。

日本の野球は、リトルリーグから、高校野球、大学野球、社会人野球、独立リーグ、プロ野球とさまざまな機構を持った団体がピラミッドを構成している。また町内会の野球クラブもあれば、草野球のように健康増進や仲間との交流を目的とした野球もある。草野球が悪くて、プロ野球がいいなんて言えるはずがない。ましてや、みんなが野茂やイチローになれるわけでもないしそれを目指しているわけでもない。大多数の野球ファンは、「就労」ではなく「生きがい」として野球を楽しんでいるのである。

インカーブのアーティストのすべてに共通することは、「制作活動を楽しんでいる」ことだ。作品を強制的に描かせたり、身体機能や知能レベルを上げるために取り組むリハビリテーション的なものではない。そんなことを強いていては一年中同じ活動が続くはずもない。

インカーブが誕生したころ、アーティストに制作活動について提案をしたことがある。「作品をつくるのは週に三回程度にして、残りの日は皆で園芸をしたり、クッキングをやろう」。毎日の制作が苦痛ではないだろうか、あまり制作過多になると飽きてしまうのではないか、ということを危惧しての提案だった。しかし、アーティストの賛成はまったく得られなかった。彼らにとって制作活動は「生きがい」だったのである。

逆に言えば、制作活動が「生きがい」とならないアーティスト風の人にとっては、インカーブは過酷な場所である。正規のアーティストとして契約するためには、家族面接と作品面接を行った上で、一か月前後（人によっては二か月前後）の研修に入る。その場で他のアーティストとの相性や制作活動が「生きがい」なのかを見る。けっして作品の優劣を判断するのではない。

ご家族には、「インカーブでは美術的教育・指導・管理は行わない。あくまで個人の『作品をつくりたい』という自主性を重んじ、気持ちが前向きになるまで待つ」と何度となく面接と研修の時に伝える。それは天が彼らに与えたクリエイティビティを疎外しないためのルールだからだ。仮に私が指導すれば私以上の能力は絶対に開花しないはずである。

しかし、制作活動が「生きがい」とならないアーティスト風の人は深い迷路に入りこむ。家族もよかれと思ってインカーブと契約を結び、将来に望みをかけるのだが、うまくコトは進まない。その原因は二つある。一つは、制作活動が「生きがい」まで至らないアーティスト風の人にとって、制作活動以外に何も行わないインカーブの環境は著しく楽しくないこと。もう一つは、インカーブの「美術的教育・指導・管理は行わない」というルールが予想以上の厳格さで遂行されるため、家族に戸惑いを与えることだ。

好きでもない制作活動を毎日続けることは苦痛でしかない。あるアーティストの家族から、「『作品をつくりたい』という自主性を重んじ、気持ちが前向きになるまで待つ」行為は、「身体的虐待ではなく、精神的虐待である」と言われたことがある。

面接時、研修時にインカーブの歪なシステムを説明し、われわれの力が及ばない領域があること、制作活動が「生きがい」でないとアーティストを苦しめることになるということを何度も説明するのだが、実感がないため、正式なアーティストとして活動しても数か月後に破綻をきたすことがある。

一方、作品づくりが本当に好きで好きでしょうがない人なら、インカーブは天国である。私の友人のフツウの自称アーティストが「僕もインカーブで制作できないか?」と問うてくる。当然、できない。フツウの自称アーティストはインカーブのアーティストのクリエイティビティを疎外する元凶となると思うからだ。

アートの評価は主観的なものだ。特に現代美術には歴史性がない分、主観に任せるしかない。ニューヨークのフィリスは五人をピックアップした。一方、パリのギャラリストは五人以外のアーティストに興味があり、残り二〇人の作品ファイルを送るようにと打診があった。二〇人の中にもアート・パトロンが付きはじめた者もいる。先頭を走ってくれた五人がインカーブのブランドを押し上げてくれたおかげだろう。

作品づくりはルーティンの仕事ではない。一年で結果がでる分野でもない。生前、ゴッホは一枚しか絵が売れなかった。死の直前に描いた『赤いブドウ園』が四〇〇フランで売れただけだ。ゴッホが絵を描いていた期間は約十年。十年間で一枚しか絵が売れなかった画家が天才ゴッホなのだ。インカーブは誕生して七年。まだまだ先は長いし、可能性はある。

インカーブには、「障がい者就労」といった概念を越えた現代美術界の「イチロー」が何人もいる。世界に橋さえ架ければ、威風堂々とした姿で舞台に立つだろう。インカーブのアーティストを見ているとそれは十分に実現可能だと思える。きっとその後ろ姿を追いかけて、日本全国に現代美術界の「イチロー」が次々と生まれるはずだ。その日は遠くない。

第八章 「インカーブのようなところ」をつくる

情に報いる

〝余剰〟

なぜ、人は残虐な事件を起こすのか。「残虐な事件を起こす前に『表現手段を与える』ことは非常に有益ではないだろうか。何かを表現することは、逆説的な言い方をすれば、〝余剰〟の部分である。その〝余剰〟は時として暴力に向かうが、表現として吐き出せば残虐な事件は減るのではないか」。電通のシンポジウムで司会を務めていただいた飯田高誉氏とそんな話をしながら、私は表現というものが理屈を超越した感情や感覚から生まれるのだと改めて思った。

いつから人類は〝余剰〟を表現として吐き出してきたのだろうか。古代人は、狩りの歓喜と祈りを洞窟の壁に描いた。以来、人類は〝余剰〟を「絵やシンボル」にし続けてきたが、それも産業の近代化とともに衰退していった。

しかし、二〇世紀の精神分析医カール・グスタフ・ユングは、「想像と創造性が治療の力であった」と語っている。ユングは、「人間の芸術表現という行為」が混乱を来たした精神の治療に役立つことを発見したのだ。「芸術療法」では、溜まったストレスを吐き出し、深く自分と向き合い、心のまま制作に熱中し、「生きる力」を育むことを第一義としている。だれからも評価されることなく、自分の内面と向き合うプロセスを大切にしている。

昔、まったく絡み合わないトークセッションを聞いたことがある。一人は、「芸術療法」の大家である精神科医でユング心理学専攻の大学名誉教授。もう一人は、スイスのアール・ブリュットの大家。「芸術療法」の大家は、芸術を使って苦しみもがく患者を少しでも救いたいと話した。アール・ブリュットの大家は、文化的処女性を重視し沈黙した静寂の世界を彼らのために提供すべきだと訴えた。患者の芸術性よりも病状の回復のほうを重視するのか、それとも患者の芸術的な能力を維持するために病状の回復の手立てをあえてとらないのか。二人の観点は真逆だった。

他方、アトリエ インカーブの取り組みは「芸術療法」ではない。自分と向き合い、心のまま制作に熱中し「生きる力」を育むこと……そこまでは似ているが、われわれは、美術界の評価にさらされている。また「アール・ブリュット」のような取り組みでもない。インカーブのアーティストは、沈黙を必要としないし文化的処女性は皆無だ。携帯電話を操り、地下鉄の時刻表を読み、貨幣を使い、市場経済の中で生きている。

〝余剰〟の深みが「アール・ブリュット」を生み出したともいえる。だが、その深みは精神の破綻ともリンクする。ある精神科医がこんなことを言っていた。「第二次世界大戦前後には精神錯乱を抑制する有効な薬はなかったが、近代化とともにさまざまな有効な薬が開発され、精神医療が格段に進歩した。だから、精神障がい者のいい作品が生まれなくなったのではないか」。過激な発言だが、時代を追って作品を見比べると一概に間違った見解ともいえない。

インカーブの〝余剰〟の吐き出し方は、「芸術療法」でも「アール・ブリュット」でもない。アーティストの〝余剰〟を体内だけに吐き出すのではなく、体外に吐き出す可能性を探らなければならない。体外に吐き出された〝余剰〟は、作品やグッズとなりアーティストの生活を保障するためのお金となる。そもそも〝余剰〟とは、アーティストの背後にある何か、見えない何か、である。見えない何かなら嗅覚や触覚を研ぎ澄まして見つけなければならない。それは私を含めスタッフの能力次第である。

奪われた理論的な抗弁

インカーブのアーティストの才能について説明したとき、金沢美術工芸大学の横川善正教授から、「純粋な才能と表裏をなす、奪われた理論的な抗弁」という言葉をもらった。横川氏は、英語、英国文芸史、デザイン論を専門分野としながら、国内外のホスピスにおけるアートセラピーについて研究をしている。

確かに、知的障がいのある人は、論理的な組み立てが苦手である。ディベートするための理論武装もしないだろう。統一的に説明することも、明日や一週間後を予測することも苦手だ。また自己を弁護する力も不足しているかもしれない。

しかし、その「理論的な抗弁」を「奪われた」からこそ「一日一生」を体現できるのではないか。今日一日を一生分として生き切ることを天から授かっているのではないか。「今日の自分は今日でおしまい。明日はまた新しい自分が生まれてくる」。現代の〝生き仏〟と称される酒井雄哉大阿闍梨の言葉だ。まるで、インカーブのアーティストのことを語っているように思う。

われわれは言葉で人をアジテートする。いくら知識を蓄えても言葉で表現しなければ知恵としては認められない。より早く、より確実に思いが人に届くように子どものころから教育されるのだ。

知的な障がいや身体的な障がいを含め「障がい」をどのように捉えたらいいのだろうか。日本障害者協議会の藤井克徳常務理事は、障がいを四つの要素に分けている。一つめは「不可避性」（避けられなかった）。二つめは「不可知性」（障がいという状態を予め知っていたわけではない）。三つめは「不可逆性」（多くは元の状態には戻れない）。四つめは「普遍性」（市民だれもが可能性を有している）。「障がい」はこれら四つの要素を確実に備えていることだと述べている。

国家の最高法規である日本国憲法第二五条には、「すべて国民は、健康で文化的な最低限度の生活を営む権利を有する。２、国は、すべての生活部面について、社会福祉、社会保障及び公衆衛生の向上及び増進に努めなければならない」と明記されている。つまり「障がい」は個人レベルではいかんともしがたいということだ。「不可避性」「不可知性」「不可逆性」「普遍性」を確実に備えるものは無条件で公的な支援が行われなければならない。現在の世界は、「理論と抗弁」を重視するあまり、国と国がいがみ合い、人と人との間に格差を作ってきた。「一日一生」を生きるインカーブのアーティストから学ぶことは多いはずである。

報いを求めない

私たちは、「眼・耳・鼻・舌・身・意」の六つの感覚器官で、「色・声・香・味・

触・法」の六つの外部世界を認識して生活している。外部世界は魅力に満ち、欲をくすぐる。美しいものをたくさん見たい、美味しいものをお腹いっぱい食べたい、金をたくさん稼ぎ、快適で安全な環境でくらしたい、と願う。

動物も植物も生きるために何かを求めている。求めることは、何も不思議なことではない。人間として当たり前のことであり、それが生きる意欲となり、目標となる。言い換えれば、求めることは欲であり希望であるとも言える。

しかし、欲は煩悩となり私たちを苦しめる。欲と苦は因果歴然の関係にあるのだ。欲をかけば、苦は必然的に生じる。釈迦の最後の説法に「多欲の人は多く利を求むるが故に、苦悩もまた多し。少欲の人は、求むること無く欲無ければ、則ちこの患い無し」という言葉がある。

欲が少なければ苦悩も少ない。求めないことは仏教の根本原理である。善いことを行い、人のためにお役に立ちたいという思いは善いことだが、これらの行いの報いとして、いい人に見られたい、感謝をされたい、という利を求めてはいけない、と説くのだ。悪いことをしても、善いことをしても、報いを求めれば苦がやってくるという。

私たちは、何か特別なことをしあわせだと思っている。昨日までになかったよいことが今日起これればしあわせなのだ。昨日までなかった「成功」、昨日までなかった「栄光」、昨日までなかった「普通ではない何か」を得ることがしあわせだと思いがちである。しかし、それは矛盾と葛藤をいっぱいに抱えた迷いである。

あらゆるものは、常住不変ではなく、移り変わっていく。消え去るものを追い求めても「しょうがない」ではないか。「諦める=明らかに極める」しか手はない。インカーブのアーティストは、われわれに「報いを求めない」し、過剰な期待もしていない。

私は、長年「ため」のデザインを行ってきた。世の中のため、企業のため、商品のため……。そこでは相手の「ため」と言いながら実は我欲のデザインに終始してきた。新しくしなければならないという気持ちや、変えなければならないという気持ちは、デザイナーとしての報いを求めていた故だろう。当然、求めれば苦が生まれてくる。

これからの教育

インカーブのようなところ

「インカーブのようなところを作ってくださいよ。土地も建物も用意しますから」。ご子息に障がいがある家族、土地を有効活用したい不動産会社、あるいはインカーブを金儲けの手段として使いたいわけのわからない会社などから、このようなお話をいただくことがある。

ご子息に障がいがある家族の話以外は論外なので早々にお引き取りいただいている。自分の子どものために先祖代々の土地と建物の所有権を移譲してでも、インカーブのようなところをつくってほしいという両親の思いは痛いほどわかる。

昔、アーティストの母親がこのようなことを話してくれた。「この子が一生のうちで一回だけでもええから、パーッと打ち上げ花火みたいに輝いてくれる。それだけでええんです。それで消えてもええんですわ」。インカーブに来る前は、ワンパターンの軽作業を行う施設に通っていた。母親は一瞬かもしれないけれど、輝く可能性を秘めたインカーブにかけたのだろう。「インカーブのようなところは他にないのですか?」マスコミのインタビューで必ず出てくる質問だ。たぶん日本には、インカーブのようなところは存在しないだろう。

インカーブの基本構想に二年、設計に一年半を費やした。くわえて自治体との交渉、地元住民への説明、資金調達……。いままでに経験したことのない重圧で精神的にも体力的にも限界だった。もう一度、インカーブのようなところをつくる体力が私にはない。

それ以上に問題なのはスタッフである。インカーブのスタッフの属性は特殊だ。右手にデザイン、左手に福祉、なおかつアーティストに愛されなければならない。単純に求人募集をしてもそんなスタッフは集まらない。

ありがたいことに、インカーブは、求人募集をしなくても全国からインターンを含め就職希望をいただく。当初は、デザイン系やアート系の学生が大半だったが、今では哲学、建築、医学などの学生が手を挙げてくれる。しかし、なかなか採用にはいたらない。インカーブのスタッフは特殊なのである。

現在のスタッフをコピー&ペーストできるならインカーブのようなところをつくることも可能かもしれないが、そんなことができるはずもない。スタッフは、アーティストと同様にインカーブの財産であり、人こそが力なのだ。

他方、アーティストは全国にいるはずだ。インカーブのアーティストは近隣から自転車やバスで通っているものが大半である。青田買いをしたわけでもなく、ドラフト制度で順位指名をしたわけでもない。

アーティストの原石は、掘り出されることなく地中深く埋まったままである。宝石の原石は磨かなければ光らないが、アーティストの場合は磨く必要はない。掘り出すだけでいいのだ。われわれが手をかけて磨くと、本来の宝石の輝きにはならない。断っておくが、すべての原石が掘り出されるのを待っているると言っているわけではない。原石に聞いてほしい。本当に掘り出していいのか、それとも地中深く眠っていたいのか。光ることがすべてではない。埋まっていることが悪でもない。原石の思いが優先されるべきである。

人材を掘り起こすためのシステム

インカーブのようなところをつくるにも、アーティストの原石を掘り出すにも、コロザシを持って掘り出す人間を育てなければならない。

友人のテレビ・ディレクターから「インカーブのようなところは全国に何カ所ぐらいあればいいですか?」と質問された。金平糖の先っぽは多くなってはいけない。かといって、なくてはならない。そこで私は、厚生労働省のプロジェクトとして、六つの国公立の芸大・美大の中に「インカーブのようなところ」を設立できないかと考えている。

プロジェクトは、「東京藝術大学、愛知県立芸術大学、金沢美術工芸大学、京都市立芸術大学、沖縄県立芸術大学」と、それぞれの地元のアートやデザインを事業の柱に据える社会福祉法人が一体となり、人材の育成を目指すというものだ。

大きなフレームはこうだ。大学の教室を社会福祉法人が借り受け、知的障がいのあるアーティストが毎日教室に通う。そこで拘束されたり、指導されることなく、自由に制作を行う。精神的ケアは社会福祉法人のスタッフが担い、制作面でのサポート

（画材の準備のみ）は大学の教員や学生がゼミ等として行う。
アーティスト五名、社会福祉法人のスタッフ一名、大学から一名程度の小ぶりなチームが四年間お互いに学び合うのだ。きっと、アーティストは、大きなキャンバスに向かってわくわくするだろう。きっと、社会福祉法人のスタッフは、アーティストの能力に驚嘆するに違いない。きっと、大学の教員や学生は、アーティストの魅力に触れて教育の在り方を再検討することになるだろう。

このプランが成功するか否かのポイントは、大学内にキーマンとなる教員がいること、そして大学を所管している文部科学省と社会福祉法人を所管している厚生労働省の協力が得られることである。

現在の国公立大学は独立行政法人化が進行しているとはいえ、社会福祉法人と同様に多額の公金（使途自由な運営費交付金）が投入されている。二〇一〇年度より運営費交付金の配分額決定に成果主義が導入される方向で議論が進められているが、それでも運営の大半は公金で行われていくだろう。私は、国公立大学だからこそ「インカーブのようなところ」をつくるために一肌脱いでほしいと願っている。

確かに、国公立大学と社会福祉法人の所管は別だ。縦割り行政で風通しはよくなさそうだが、文部科学省と厚生労働省の合同懇談会に出席し意見を交わすと、そうではない。ココロザシのある国会議員と官僚がタッグを組めばリミッターは外せるだろう。

システムができてもコンテンツがなければ絵に描いた餅だ。今回のプランのコンテンツは掘り出す人間＝学生である。五つの芸大・美大は人材の宝庫である。ココロザシを持った学生も教員も必ずいる。私は特に「デザイン」を学ぶ学生に期待している。私の出自が「デザイン」だということもあるが、アーティストの制作環境を守り、閉塞感のある社会を突破していくには「デザイン」を学ぶ学生が一番いいのではないかと思っている。

ただ私もかつてそうだったように、デザイナーを志望する人種は我欲に満ち、自利に長けたものが多い。アメリカのデザイナーであるチャールズ・イームズは「デザインとは行動方式である」と語った。デザインの行動方式を決定するのは、デザイナーの行動そのものである。社会の役に立つコトを企てたいと思ってくれる学生が出てくれば、「インカーブのようなところ」は金平糖の先っぽとして全国に六つ生まれる。

二〇〇六年秋から、金沢美術工芸大学内の美術工芸研究所を窓口として、持続的な提携関係の形成を目指し、スタッフの交流と学生の体験が行われている。

寺尾が教壇に立つ

二〇〇六年一〇月、おそらく日本で初めて知的に障がいのあるアーティストが国公立大学の教壇に立った。教員の名前は寺尾勝広。インカーブで最も評価の高いアーテイストだ。大学は金沢美術工芸大学だった。

授業に先立ち共同記者会見が行われた。初めは寺尾も緊張していたが数分も過ぎればいつもの調子だ。しゃべりだすと止まらない。しゃべってはタバコを吸い、タバコを吸ってはしゃべる。こうなれば寺尾の思うつぼ。取材陣を離さなくなってしまった。

寺尾の授業を聴くため、デザイン、工芸、純粋美術の学生が二百人近く集まっていた。一時間半の授業を記録するために、大阪から同行したテレビ局がカメラを回し、寺尾にマイクを向けた。前段で私がインカーブの概要を説明したあと、寺尾のライブ・アートにバトンタッチした。

学生は、ライブ・アートを行う寺尾を見て、福祉関係者のようにうがった見方はしない。純粋に寺尾の熱量に圧倒されている。私から寺尾に作品の内容や工程についていくつか質問を行ったが、基本的には寺尾の作品制作をじっと見る、ただそれだけの授業である。

ライブ・ハウスでソロピアノを演奏する偏屈なミュージシャンのようだ。とにかく偏屈さ加減は尋常ではない。作品とテーブルの大きさ。椅子の高さ、固さ。照明の位置。マイクの本数。何から何まで偏屈にこだわる。そのこだわりは自閉傾向からくるものではない。単に几帳面が度を超えた感じである。

真近で照らすタングステン照明が熱かったようだ。テーブルに置かれた水をがぶ飲みする。案の定、尿意を催し、私やスタッフを探しはじめた。突如、マジックを置き、マイクに向かって「ちょっと、トイレ行ってきます」。寺尾は教壇を下り、トイレに消えてしまった。

学生はあっけにとられていたが、これも寺尾である。私にとってはいたって普通の出来事だ。数分たって寺尾が戻ってきた。悪びれた表情などまったくなくすぐに制作に入った。四つ切り大の作品を完成させて授業が終わった。

学生が手を挙げて寺尾に質問する。その数は一人や二人ではなかった。授業時間が終わっても質問は終わらなかった。一時間以上かかったと記憶している。

最も印象深い発言が二つあった。「寺尾さんは毎日、同じ鉄の絵を描いてて、飽きないですか？」と二年生の女子学生が聞いた。寺尾は「好きやから、飽きへん」と答えた。女子学生は泣き出した。まわりにいた学生も泣き出した。

「私は子どものころから絵が好きで……、だからこの大学にも来て……、だけど今は教授の顔色や受けをねらったものばかりが頭の中をかけめぐる……、好きだからって言える寺尾さんは凄い……」。泣き声が教室に響くぐらいに聞こえた。

もう一つは質問ではなかった。感想として、「インカーブを訪問したいけど……行けません。きっと生の作品をみたら……私は筆をおいてしまう」。目に涙をいっぱい溜めて、寺尾の顔を見ていた。

きっと、この学生たちといっしょなら寺尾やその他のインカーブのアーティストも救われる、そう思った。一生懸命、障がい者が絵を描いているから涙を流したのではない。一人の偉大なアーティストの魂に触れて、涙を流したのだ。

寺尾にとっても、学生にとっても、私にとっても、一生忘れることのできない授業となった。そして、この授業は、厚生労働省のプロジェクトとして国公立大学と社会福祉法人の連携、ならびに「インカーブのようなところ」をつくる土台となった。

「話す能力」と「聞く能力」

アーティストは、社会に迎合などしなくてもいい。自分のために制作すればいいのである。それがアーティストだ。だが、最近の芸大・美大を出たアーティストはタスク（制約のある仕事）を好むようだ。ルールと不自由を必要とするアーティストがなんと多いことか。タスクを好む者はアーティストではない。それは、デザイナーだ。

「デザイナーは説明のプロでなければならない」とグラフィックデザイナーの原研哉（はらけんや）氏はいう。デザイン系大学では対外的なコミュニケーション能力を高めるカリキュラムの充実を図っている。大企業が求める新入社員のスキルのトップは、コミュニケーション能力なのだ。「対外的なコミュニケーション能力」は「話す能力」と同意語で、大学では学生に課題のプレゼンテーションをさせ「話す能力」を評価対象としている。

課題のレベルが高くても相手に伝わらなければ〇点。デザインは社会性がつねに要求されている。

大学教育ではあまり日の目はみないが、「話す能力」以上に大切な能力が「聞く能力」だ。コミュニケーションは、「話す能力五〇％」「聞く能力五〇％」で成り立っている。

「話す能力」が一〇〇％に近いデザイナーのプレゼンテーションはきっと耳障りに違いない。饒舌すぎる営業マンもデザイナーも信用ならない場合が多い。少々、朴訥なほうが相手の印象がいいときもある。

二〇〇六年一一月、金沢美術工芸大学から三人のインターンがやってきた。インカーブ初のインターンである。アーティストに紹介する前に二つのルールをインターンに課した。一つめは、作品の評価にかかわるような言動は行わないこと。二つめは、すべてのアーティストと公平に話すこと。簡単なようで、むずかしいルールである。

一つめの作品の評価（たとえば、うまいとか、素晴らしいとか、誉めること）は、アーティストの作品性を固定化してしまう可能性がある。無限の可能性がありながら、誉められた作品だけに執着して何年も作り続けることもある。二つめの公平に話すことはとくに大切である。インターンも人間だ。アーティストと生理的に合わないこともある。しかし、特定のアーティストばかりと話に夢中になると、ほかのアーティストが嫉妬(しっと)を感じ、制作がストップするケースもある。

私がインターン三人に求めたのは「聞く能力」である。アーティストの側に寄り添って何時間でも聞いてほしい。相手があきれるぐらい頷いてほしい。ノンバーバルなアーティストには、手を握っていっしょに歩いてほしい。インカーブにアーティストがいる時間帯は「話す能力」など必要ない。デザイナーは、「話す能力」と「聞く能力」をバランスよく保つ必要がある。しかし、インカーブを志望するデザイナーは、「話す能力」より「聞く能力」が長けているほうがいい。そのほうがアーティストは喜ぶに違いない。

ギャップ・イヤー

イギリスを中心に「ギャップ」という名の制度が根づいている。高校卒業後、大学に入る前にほぼ一年間の「空白」をつくる「ギャップ・イヤー」もあるし、仕事に就いてからの「キャリア・ギャップ」もある。

私は、三〇歳を過ぎて一年間の「キャリア・ギャップ」を経験した。仕事を休止しデザインについて考えた「ひきこもり」的な「キャリア・ギャップ」は、たくさんのご縁を運んでくれた。

脳科学者の茂木健一郎氏は、「思考の空白こそが脳の発達を促し、その空白を埋めようとする力が新しいものを生み出す創造性をはぐくむ」と討論番組で話していた。チャールズ・ダーウィンは、五年間の「ギャップ・イヤー」で世界中を放浪し進化論を確立した。要するに創造力を育むには、インターバルが必要なのだ。

私は、知的に障がいのある人が社会人になるときこそ「ギャップ・イヤー」が必要だと感じている。特別支援学校の高等部を卒業すると同時に、大半が一八歳で社会人となる。なぜ、一八歳で大半の者が社会人とならなければならないのかが不思議でならなかった。一般的に高校卒業時は、専門学校や短期大学、四年制大学が私学・国公立として控えているはずだ。文部科学省の特別支援教育資料（平成一九年度）によると、知的に障がいのある人の進路は進学〇・九％、訓練校三・一％、就職二五・八％、施設通所・入所五九・七％、その他一〇・六％となっている。「その他」は自宅待機や家事手伝いを含め、特定の所属先がない人が多くを占めている。

私は、「その他」の割合を増やす必要があると思っている。どこにも属さない時間と環境。言い換えれば社会のシステムを自由につまみ食いできる時間と環境が彼らや父母には必要なのだ。当然「ギャップ・イヤー」を実現するためにはお金が必要となる。障害者年金にプラスして「ギャップ・イヤー年金」を創設し、一年間程度支給してはどうか。障がい者の法定雇用率未達成の企業が支払っている金を一過性のイベントに使うのではなく、「ギャップ・イヤー年金」に使う手もある。

また「進学〇・九％」も異様な数字だ。彼らが特別支援学校で学ぶことはあくまで基礎演習にすぎない。「できること」を注視し伸ばすには絶対的な時間と教員数が足りていない。

一八歳以降こそ「できない」ことを無理矢理引っ張り上げるのではなく、「できること」を専門的に学ぶ必要がある。なぜ、一八歳以降に「できること」が萌芽するのか。それは彼らの体内時計がわれわれより「ゆっくり」動いているからだ。せかせかと欲望のままに動き回るわれわれとは違う。彼らの体内時計にあった進路を整備する必要がある。

そこで彼らに必要な国のシステムは、特別支援学校の高等部を卒業した後、大学部を一般的な国公立大学内に作ることだ。大学部が特別支援学校の延長線上にあるのでは、社会に対応する専門性が身につかないだろう。授業年数も四年間ではなく一年でも長くほしい。できれば倍の八年。なぜなら、彼らの体内時計は「ゆっくり」動いているからだ。

次に大学部の教員の資質が大切である。「できること」を見抜ける専門職の人間が必要になる。教職免許にこだわる必要はまったくない。そもそも、社会に送り出す側の教員自身が実社会の経験が少なすぎる。卒業時の障がい者と企業とのマッチング不足が指摘されて久しいが、原因の一端は教員が実社会を経験していないことにある。

豊富な福祉経験と実社会の経験を持つ教員を早急につくり出さなければならない。

では国公立の大学はどのように動き出せばいいのか。まずは前述した五つの芸大・美大に尽力させてみたらどうか。特別支援学校を所管している文部科学省と厚生労働省が手を携えればむずかしい話ではないだろう。やる気さえあれば、両省のシステムを改変しながら進化させることは可能だと思う。

公も民も「いそぎすぎること」で格差社会を生み出してきた。そろそろ「ゆっくり」とした彼らの体内時計に合わせて社会を作り直してもいいと思うのだが。

「公」が守り「民」が育てる

ダブル・アシスト

障がいのある人は、自ら望んで障がいを負ったわけではない。だから、障がいによって働きにくかったり、生きづらかったりしてはいけないのである。憲法二五条に基づく最低限度の生活は責務として「公」が保障すべきなのだ。そして、それをより身近に感じ、より広く認知し、継続的に支持を得るためには、企業や個人という「民」

の力が不可欠である。

インカーブのフィロソフィは「普通なしあわせ」である。当たり前のことを当たり前に行えること。それを「普通なしあわせ」だと定義し、アーティストの生活基盤とプライドを構築していくことをミッションにしている。そのためには公と民に「しあわせの企て」を仕掛けていかなければならない。

インカーブでは、「公の保障」と「民の育成」を「ダブル・アシスト」とし、これによりアーティストを支援する仕組み「アート・パトロネージ」の必要性を厚生労働省や文部科学省の委員会で提案している。アート・パトロネージは、後援者・支援者という意味である「パトロン」が、アーティストの作品制作活動や展覧会などの発表事業を精神的・財政的にサポートすることである。

「公」は障がいのあるアーティストが日本で生活するための基礎的な保障や法整備をするアート・パトロンの役割を担い、「民」は展覧会やシンポジウム等の機会を提供したり広告媒体・プロモーションに作品を採用するなど、アーティストを育てるアート・パトロンのお役目を担っていただきたい。

まず、「公」が取り組まなければならない保障は障害者年金の拡充である。全障害年金受給者一五五万人のうちの約八割が国民年金の障害基礎年金受給者である。障害基礎年金の年金額は定額となっており、二級の障害については七九二、一〇〇円（月

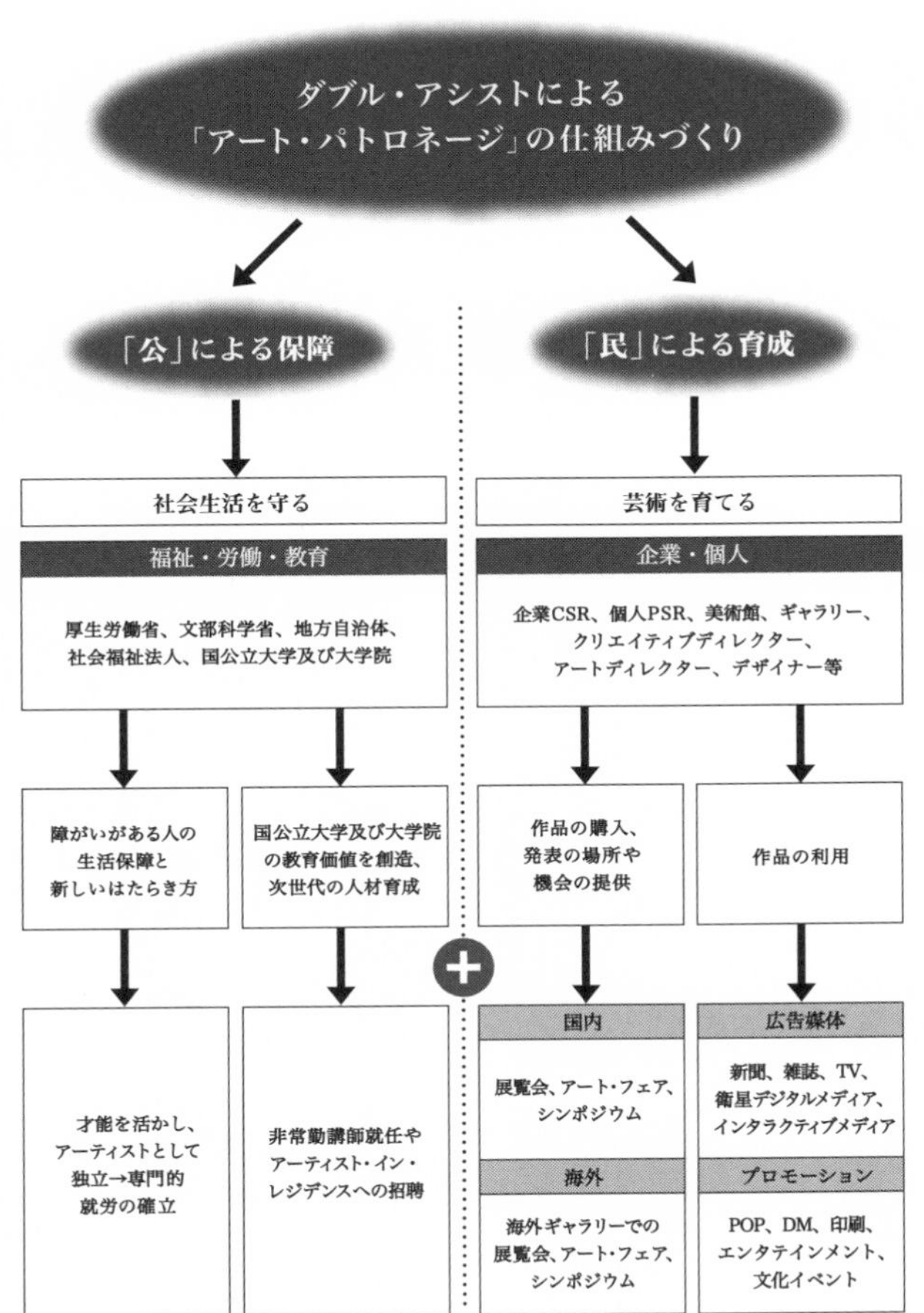

ダブル・アシストによる「アート・パトロネージ」

額六六、〇〇八円)。一級の障害については、二級の障害の年金額の一・二五倍の額九九〇、一〇〇円(月額八二、五〇八円)である(二〇〇九年当時)。子どもがいれば加算される。

国は、この金額で健康的な生活が営めるとしているが、明らかな憲法違反である。住居費と食費を足して六万円から八万円で生活できるわけがない。

また「一般的就労」といわれるルーティンな作業以外に新しい働き方の提案が必要だ。環境省事務次官時代の炭谷茂(すみたにしげる)氏(現、恩賜財団済生会理事長)は、「福祉新聞」のなかで、障がい者就労を「雇っていただく」施策から「自ら仕事を作っていく」施策に転換しなければならないと語っていた。

才能を活かし仕事を「自ら作っていく」ことでアーティストとして独立を可能とする働きかたを、インカーブでは「専門的就労」と呼んでいる。これについてはあとで詳しく述べる。

「働きかた」と同様に「教育のありかた」も早急に考えるべきだろう。特に国公立の大学・大学院と特別支援学校の連携をはかり、大学部の設置を望む。障がい者が専門的な能力を身につける以上に、きっと教員や学生への新しい教育価値が創造されるはずだ。

次に「民」による育成である。アートでいえばアーティストを育てる企業・個人の

普通なしあわせ

事業ミッション

アーティストのはたらき方の多様性と
生活基盤、プライドの構築

事業コンセプト

1. 安全で心穏やかに創作活動に打ち込める環境づくり
2. 現代美術としての正当な評価
3. 現代美術市場、企業CSR、個人PSRの開拓
4. 厚生労働省、文部科学省、地方自治体への提言
5. 国公立大学及び大学院の教育的価値の創造、次世代の人材育成

特徴・属性

○社会福祉法人(広義の公益法人)
○芸術、デザイン、福祉、教育の四領域を横断的にプロデュース
○海外での展覧会やアート・フェアに出品しているアーティストが所属
○国内の主要な現代美術館でグッズを展開
○金沢美術工芸大学非常勤講師にアーティストが就任

実用的価値と感情的価値を
生むために必要なものは ?

ダブル・アシストによる
「アート・パトロネージ」の
システムづくりが必要である。 !

実用的価値

〈企業〉CSRの新たな評価基準、障がい者雇用率の改善
〈個人〉芸術領域の拡大
〈芸・デ〉展覧会観客、作品購買の新しい層の開拓
〈アーティスト〉収入の確保
〈教育〉新たな教育カリキュラム設定による学生の創出
〈行政〉障がい者専門的就労システムの構築

感情的価値

〈企業〉文化活動として社会的評価の向上
〈個人〉アーティスト育成の喜び 〈芸・デ〉根源的な創造性の発見
〈アーティスト〉プライドの構築 〈教育〉多様な芸術分野の認知

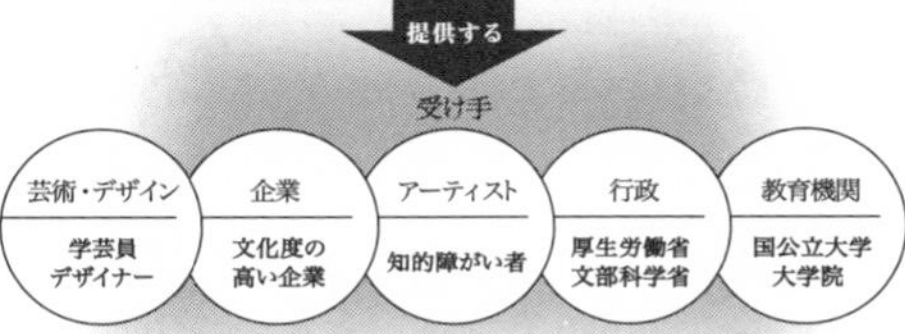

実用的価値と感情的価値

アート・パトロンが必要になるだろう。それを担うには企業のCSR関連部署や民の美術館・ギャラリー、また個人ではクリエイティブディレクター・アートディレクター・ファッションデザイナー・カメラマンなどクリエーターとの連携が必要になってくる。

作品の利用として広告媒体では、新聞・雑誌・テレビ・衛星デジタルメディア・インタラクティブメディア・プロモーション・POP・DM・印刷・エンタテインメント・文化イベントが考えられる。

以上の「公の保障」と「民の育成」のダブル・アシストによる「アート・パトロネージ」のシステムは二つの価値をつくり出せる。一つは「実用的価値」、もう一つは「感情的価値」である。

「実用的価値」としては、企業にCSRの新たな評価基準として障がい者雇用率の改善を求め、アートの世界では展覧会観客・書籍購買の新しい層を発掘し、個人の芸術領域を拡大する。それはアーティスト収入の確保につながっていくはずだ。また教育は新たな教育カリキュラム設定により学生の創出を図れるだろうし、行政には障がい者の専門的就労システムの法律制定を促すことになる。

「感情的価値」としては、企業の文化活動が社会的評価を得ることになり、アートの世界では根源的な創造性が発見されるだろう。個人がアーティスト育成の喜びを得ると同時に、アーティストのプライドの構築につながることになる。教育界にも多様な芸術分野の認知を行えるというメリットがある。

ダブル・アシストのシステムを構築するには、アート／デザイン・福祉・教育の三領域を横断的にプロデュースできる人材が不可欠であることは言うまでもない。

専門的就労

インカーブでは、「専門的就労」を「一定の雇用関係によらず、時間に束縛されないで、特別な技能・技術・知識に基づき独立して営む職業」と定義している。例えば画家・音楽家・舞踏家などだ。

現在、特例子会社を活用した障がい者雇用は、問題意識の高い企業を中心に法定雇用率の達成に貢献している。今後、障がい者就労の「量」（より多くの企業が障がい者雇用に乗り出し就労機会が増えること）と「質」（雇用された障がい者と雇用した企業の双方の満足度が向上すること）を拡大していくためには、障がい者就労に関するＣＳＲメニューを多様化させることが必要だろう。

その際に重要なのは、ＣＳＲ活動に関する企業のニーズを把握することである。例えば『社団法人企業メセナ協議会　メセナリポート２００７』によれば、二〇〇六年度には三〇九社がＣＳＲとしてメセナ活動（芸術文化支援）を行っているが、多くの企業にとっては、CSRにかける資源はあるものの、支援先にどのようなところがあるのか分からないため、結果的に取り組みやすい環境問題を支援するケースが目立っている。CSR一般について、企業が欲しているのは「情報」（ノウハウやアイデア）なのだ。

インカーブでは、「新しい障がい者就労形態」として「専門的就労」を提起し、障がい者就労メニューの多様化を促進したいと考えている。

特別な才能を持つ障がいがある人にとっては、「自分の特技が就労につながる」という意味で就労機会の「質」の向上につながる。企業にとっても創造的で特色あるCSRメニューという点で「質」の向上につながる。こうしたメニューに関心を持つ企業が増えることで、結果として法定雇用率の達成という「量」にも寄与するだろう。

現在、「専門的就労を実現するために福祉団体が満たすべき要件は何か」「『企業のCSRメニュー』としての専門的就労にはどのような形態がありえるのか」について、国内外の企業との具体的な協業のケーススタディを通じてその可能性や課題を抽出することを、厚生労働省のプロジェクトとして研究している。これらのケーススタディから得られた知見を、障がい者関連団体にフィードバックすることで、障がい者関連団体を下支えできればと思う。

企業の競争力はコスト面だけではない。新しい価値を提案する価値競争でも問われるべきだ。価値を生み出すのは金ではなく人材である。多様な人材が多様な働きかたを行える土壌づくりは企業評価の最大の要素だろう。株主に高い配当を差し出すことだけに固執した企業や、CSRを会社利潤だと勘違いしている企業が衰退するのは明らかだ。

ただ、専門的就労を可能にするキーマンはなんといっても「公」である。二〇〇七年一二月から二〇〇八年六月まで、厚生労働省と文部科学省両省の副大臣を中心にアート・福祉の委員七名で「障害者アート推進のための懇談会」を行った。以降は、毎年のように関連する委員会が開催されている。また二〇〇八年一〇月からは大阪府の健康福祉部障がい保健福祉室自立支援課と生活文化部文化・スポーツ振興室文化課の「アートを活かした障がい者の就労支援懇話会」を継続中である。この事案を「福祉」だけの問題ではなく、「文化」の問題として捉えることが重要なのだ。「公」が守り「民」が育てるシステムは始まったばかりである。

第九章 社会性のある企て

観点変更とデザイン

小さな点

ヒトもモノもコトも、見る角度によって、美しくも、醜くも、優しくも、冷たくもなることを知った。少なくともアトリエインカーブのアーティストに出会うまでは、私の見る角度は既成概念という鎖で固定されていた。

鎖がからだから溶け出してからは、ヒトもモノもコトも、見る角度や高さを少しずつコントロールすることができるようになってきている。私は、それを「観点変更」と呼ぶことにした。

漢字学者の白川静（しらかわしずか）氏によれば「観点」の「観」とは「遠くまで見ることのできる高い建物」をいう。「点」とは「占は店の意味で、酒杯を置くような狭い小さな場所」という意味がある。つまり、よく眼を凝らして見なければみつからない点を高い建物から探す、こと。一見、不可能にも思える行為が「観点」という言葉である。

輝かない小さな点は、ヒトに省みられることはない。視点や角度、理論、立場など自らの立ち位置を変えることでしか見えてこない点を発見するのは難しい。『雑阿含経』のなかに「盲亀浮木」の喩え話がある。大海の底に一匹の盲目の亀がいて、百年に一度だけ海面に浮き上がってくる。そして大海原に漂う一本の浮木に到達することができたとき、亀は人間に生まれかわり、仏法に出会うことができるという。

盲亀浮木のごとく、百年に一度の機会を何千回、何万回と繰り返すなかで小さな点を見つけることができるのだろう。しかし、それは決して偶然ではない。すべての行為は必然で起こっている。この世に生まれ、だれかと出会い、別れる。それも必然的に定まったことだと私は信じている。

私にとって、インカーブのアーティストは大海原を漂う浮木だった。風が吹いて私のからだのそばまで浮木が運ばれてきたのだ。我欲に満ちた力でコトを進めれば必ずねじれが起きる。ねじれたものはいつか正常な形を求めてねじれを戻す。ねじれたままでコトが進むことは決してないのだ。彼らに出会う前、私は幾度となく自らの我欲で強引にコトを進めてきた。その都度、ねじれは戻され、他人を傷つけてしまった。

彼らに出会ってようやくわかった。ねじれを起こさないためには、他力によって起こされた風を待つしかない。そしていつでもその風を受けとめられるような態勢を保っておくことだ。急に風が吹いてもやりすごしてしまわないように。

他力にすがるためには「観点変更」が必要になる。高い建物から小さな点を見つけるには、既成概念の鎖を溶かし、観点を変更しなければならない。それは不可能にも思えるが、きっと見える時がくるはずだ。

私は、五つの観点でインカーブを分解し、再構築することが大切だと考えている。

一つめは、福祉の観点だ。アーティストのはたらき方の多様性と彼らの生活基盤を充実させる収入の確保、プライドの構築を問わなければならない。

次に芸術の観点。アウトサイダー・アートでもアール・ブリュットでもない現代美術としての評価の賛否を美術界に求めなければならない。

三つめは、市場の観点。現代美術の市場を開拓することは言うまでもないが、企業CSRと個人のプライベート・ソーシャル・レスポンシビリティ（PSR）とどのように連携していくか、今後の課題だ。

四つめは、行政の観点。あくまでインカーブは公金を投入して行うべき事業だということを主張し続けなければならない。厚生労働省や文部科学省、地方自治体に対して提言を行いアーティストの制作環境を守る公的なシステムをつくっていく。

最後は教育の観点だ。知的に障がいのあるアーティストへの教育的価値を根本的に

福祉
はたらき方の多様性と
生活基盤、
プライドの構築
芸術
現代美術としての
正当な評価
市場
現代美術市場と
企業CSR、個人PSR
行政
厚生労働省、文部科学省、
地方自治体への提言
教育
国公立大学及び大学院の
教育価値を創造、
次世代の人材育成
atelier incurve

五つの観点

問わなければならない。また、アトリエのようなところをつくるために次世代の人材育成が急務である。国公立大学、大学院のデザイン学科の教職員、学生に期待したい。

五つの観点が有機的につながった時、社会性のある企ては成就するのだろう。そもそも、デザイナーに課せられた使命とは、ヒト、モノ、コトの観点を変更させることにある。自分の我欲を滲ませることが許されるのは「アート」である。「デザイン」はデザイナーが我欲のために行う行為ではない。また往々にして色や形などを表現することがデザインだと考える節があるが、観点を変更してもらいたい。デザイナーの本当のお役目は、そんな表層部分を企てることではない。

インカーブのポジション

能力を活かすにはポジションを間違わないことだ。私にも不得手なポジションがある。同様に他者にも不得手なポジションがある。得意なポジションでいかに能力を発揮するかがポイントである。私は、インカーブを二つのポジションでその力量を推し量ろうとしている。一つは芸術創造、もう一つはソーシャル・イノベーションである。吉本光宏（よしもとみつひろ）氏がニッセイ基礎調査月報（一九九〇年四月号）に記した「今こそ芸術文化のインフラストラクチャー構築を」に改変を加えながら整理整頓を行った。

インカーブの資源は、大きく三つに分かれる。①スペースとしての「ハードウェア」と作品やプログラムの「ソフトウェア」、②アーティストやスタッフ、③外部ブレーンといった「ヒューマンウェア」である。この三つの資源が社会的インフラ（生産・流通・消費）のどのあたりにポジション設定されているかを冷静に見る必要がある。

社会的インフラは三つに区別される。一次インフラに「生産（芸術文化の創造）」、二次インフラに「流通（芸術文化の普及）」、三次インフラに「消費（芸術文化の鑑賞）」がある。

芸術創造の観点で考えれば、インカーブは二次インフラに差し掛かったところだろう。まず芸術を生産できるインカーブという施設を確保した。またニューヨークのフィリス・カインド・ギャラリーをきっかけとして国内でもギャラリーインカーブを設立し、美術市場に参入できつつある。芸大・美大では、アーティストの講義が行われ、インターンとして学生がインカーブで学んでいる。

次に、ソーシャル・イノベーションで見てみよう。一橋大学大学院商学研究科の谷（たに）本寛治（もとかんじ）教授の『ソーシャル・エンタープライズ　社会的企業の台頭』（中央経済社、二〇〇六年）を改変しながら考えてみた。谷本教授は、「社会福祉法人」をソーシャル・エンタープライズとして位置づけていないが、私は社会的な事柄を企てる法人として「社会福祉法人」をソーシャル・エンタープライズとして拡大解釈して考えてい

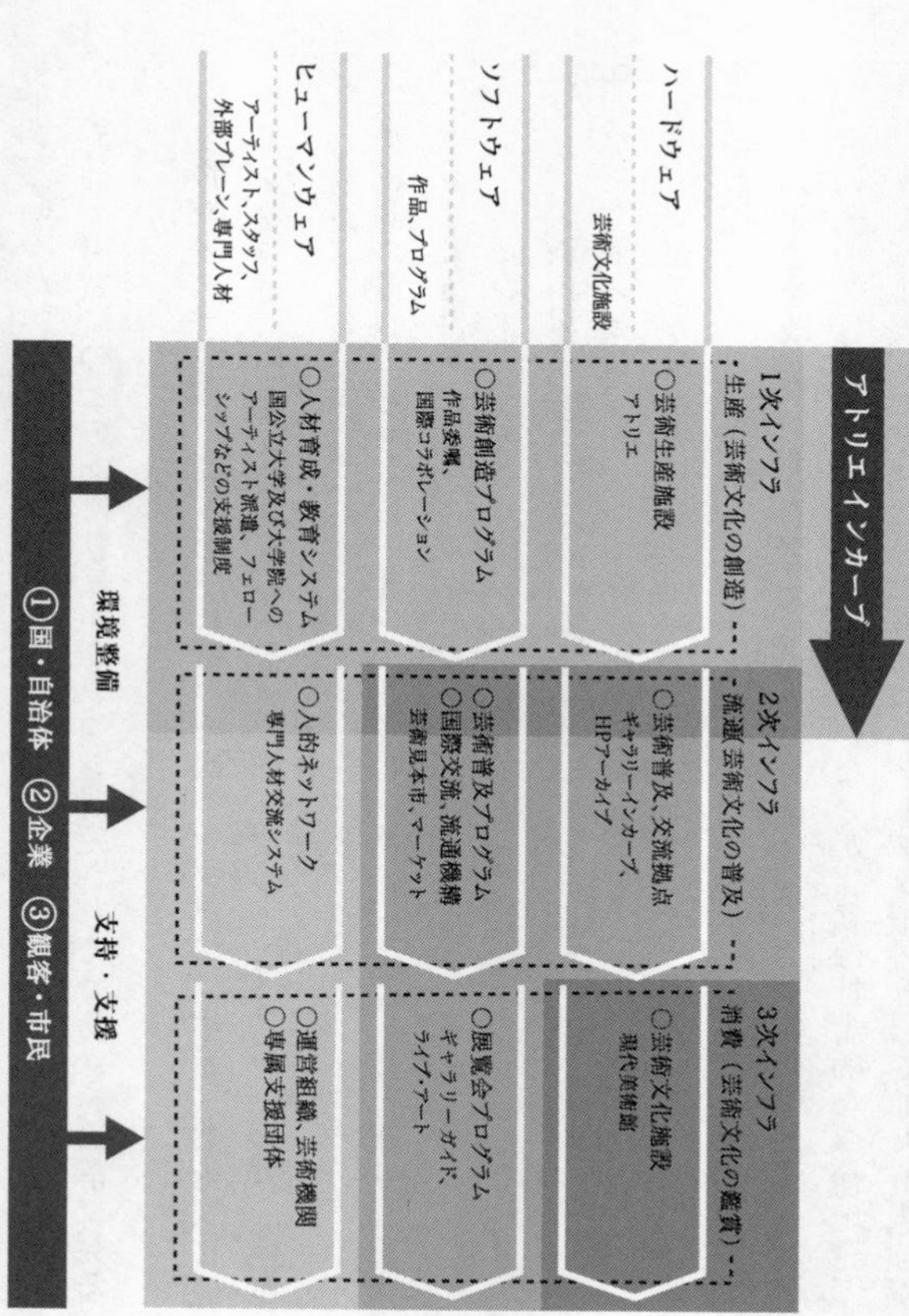

アトリエ インカーブのポジション
＊芸術創造のポジション

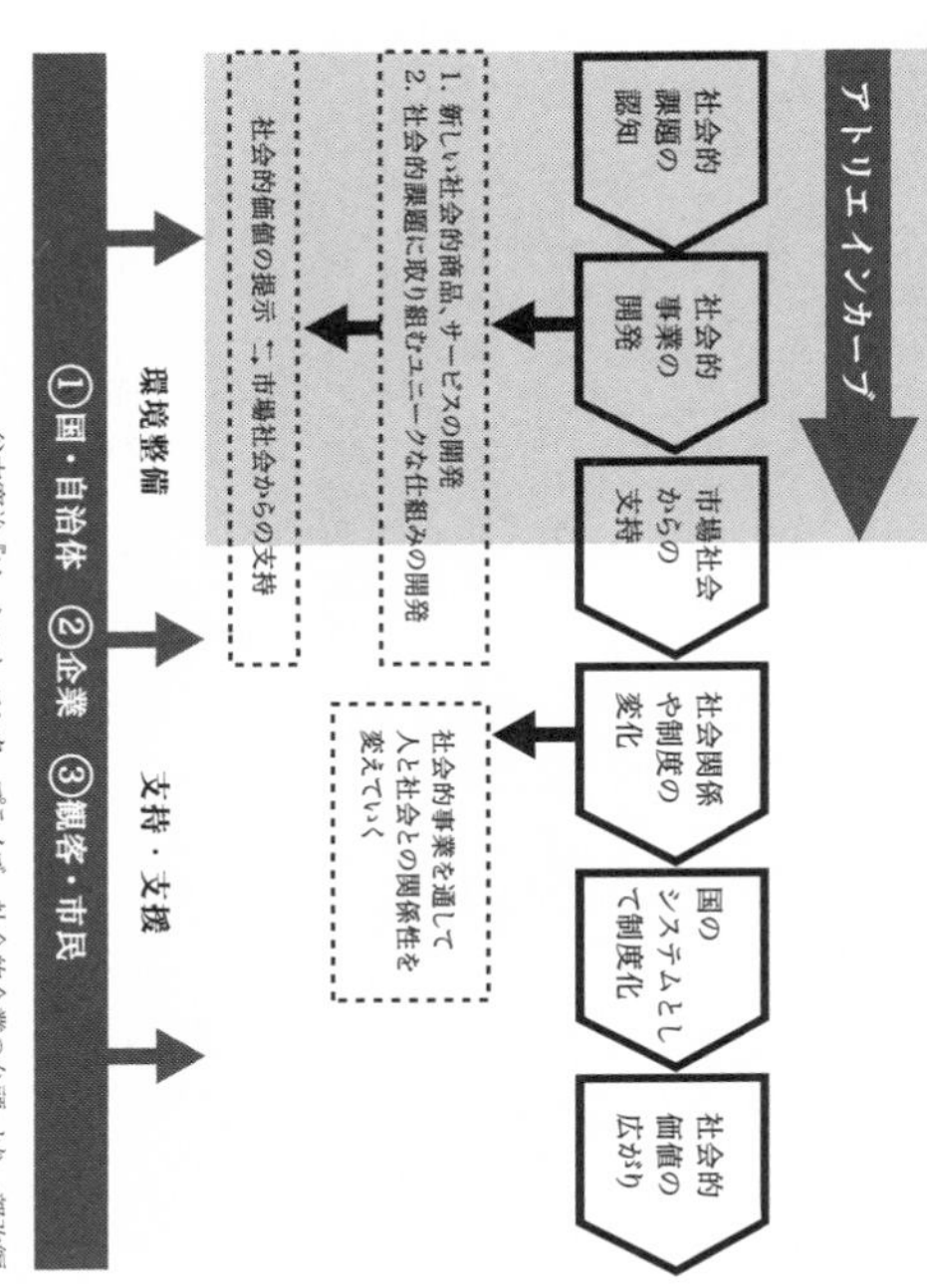

アトリエ インカーブのポジション

＊ソーシャル・イノベーションのポジション

る。福祉は国や自治体、もしくは税金が投入された社会福祉法人が保障しなければならないからだ。

ソーシャル・イノベーションは六つのポジションにわかれる。まずはじめは社会的課題の認知である。課題が抽出できなければ、市場に問うことはできない。市場から支持が集まれば、社会関係や制度に変化が生まれるはずだ。そこで、大切なことは、変化を国のシステムとして制度化することである。制度化すれば社会的な価値は広く伝播（でんぱ）するだろう。

現在のインカーブは、アーティストの給与格差は甚（はなは）だしい。五人のアーティストと二〇名のアーティストとの給与格差を考えれば、インカーブが市場からの支持を完全に得たとは言いがたい。いかに格差を是正していくかが今後の大きな課題である。

芸術創造とソーシャル・イノベーションの環境整備、支持・支援を行うべきは国と自治体である。公的なパトロネージが大切なのだ。企業や観客や市民の支援の永続性を担保することは難しい。ましてや資金不足で事業撤退を余儀なくされるＮＰＯに頼り切るシステムは脆弱すぎる。システムの基盤を支えるのは社会福祉法人であるべきだ。日本独自のシステムを有効に使いたい。

ポジションの設定は、評価軸の設定でもある。インカーブを過小評価することも、過大評価することも避け、的確なポジションの設定が評価のブレを防ぐのだ。

空想は知識より重要である

私が観点変更ということを気にし始めたのは、昔、アルベルト・アインシュタイン（一八七九－一九五五）とレオナルド・ダ・ヴィンチ（一四五二－一五一九）の伝記を読んでからだ。

彼らは一般的な頭脳の持ち主ではない、とわれわれは思っている。ＩＱは人並みはずれ、むずかしい問題をスラスラ解ける天才だと思っている。確かに天才には違いない。しかし、幼少期の彼らの奇異な行動や言動を知り、彼ら自身によって綴（つづ）られた本を読んでいると、当たり前にどこにでもいる子どもではない、と思える。もっと言えば、先天的な何かが原因で、脳に障がいがあるのでは……と思えてならなかった。

京都大学霊長類研究所の正高信男（まさたかのぶお）教授は『天才はなぜ生まれるか』（ちくま新書、二〇〇四年）でアインシュタインとダ・ヴィンチは発達障がい者である、として詳しく論じている。

私には正高教授の論が荒唐無稽（こうとうむけい）なフィクションには思えない。インカーブにも発達障がいと思われるアーティストがいる。彼らをみるかぎり、尋常ではない創造性を発揮する人間がいることに疑う余地はない。

平成一七年四月に施行された発達障害者支援法のなかで発達障がいは次のように定

義されている。『発達障害』とは、自閉症、アスペルガー症候群その他の広汎性発達障害、学習障害、注意欠陥多動性障害その他これに類する脳機能の障害であってその症状が通常低年齢において発現するもの」、「『発達障害者』とは、発達障害及び社会的障壁により日常生活又は社会生活に制限を受けるもの」。

正高教授は「アインシュタインの脳重は一二三〇グラムであるのに対し、対照群の男性は一四〇〇グラムで、むしろアインシュタインの脳の方が軽い。また、思想や推論に重要な役割を果たしていると考えられている大脳皮質の厚さも薄い」とする一方、国際的に権威のあるイギリスの『ランセット』という医学系の学術雑誌で、「頭頂葉の異常を除いて、対照群の脳と何ら差は見出されなかった」と報告されていることを紹介している。つまり言葉を一時的にプールする機能を持つ頭頂葉に異常があったというのだ。

健常者は聴覚から入ってくる音情報をしばらくの間、反芻(はんすう)することができる。もし音情報をプールする機能に障がいがあれば視覚情報のループが強制になっていくとも考えられる。目で見た景色や建物、動物、ヒトの仕草などが頭の中をグルグルと回り続ける、そんなイメージだ。

また、オックスフォード大学のイアン・ジェイムズ名誉教授が書いた『アスペルガーの偉人たち』(草薙ゆり訳、スペクトラム出版社、二〇〇七年)で紹介しているアインシュタイン自身の言葉からも、彼が言葉を一時的にプールする機能に障がいがあったことが読み取れる。「思考は言葉という形をとっては現れてこない。私はめったに言葉を使わずに考えている。（中略）言葉や言語というのは、私が思考する際には、ほとんど役目を果たさないようだ。（中略）心理的実体は、多かれ少なかれ、ある明瞭な具象やイメージとして現れ、私はそれらを自分の好きなように再生したり、組み合わせたりしている」。

発達障がいの診断基準は非常にむずかしい。ジェイムズ名誉教授はアスペルガー症候群に限って次の六つの診断基準を示している。社会的能力の欠如、狭い範囲の興味への専心、反復的な日常行動、話し言葉と言語の奇妙さ、非言語コミュニケーションに関する問題、運動の不器用さ。ただ、診断する医者の経験が浅いと六つの診断基準さえも理解できないこともしばしばある。

アインシュタインは幼少のころ言葉の獲得が遅かった。晩年に幼少期を振り返り、「自分は三歳まで言葉を発しなかった」という意味のことを述べている。学校では「なまけものの犬」とからかわれ、一日中、ボーッとすることが多く、夢想癖が抜けなかったという。

音情報が蓄えられないと、言葉によるコミュニケーションはとりづらくなる。学習障がい（ＬＤ）といわれる症例のかなりのものが、このような範疇に入ると考えられる。

ところが、その夢想癖こそがだれも考えつかなかった相対性理論を提唱し、物理学に革命をもたらす原動力となったと私は思うのである。「空想は知識より重要である。知識には限界がある。想像力は世界を包み込む」とアインシュタインは語っている。

ボーッとしている障がい者が偉大な科学者になったなら、世間はどのように言い伝えるだろうか。「障がいがあるにもかかわらず、血の滲むような努力を惜しまず、立派な科学者として……」という表現をするのではないだろうか。今日の日本でもこのような表現がほとんどだが、それは大きな間違いである。「障がいがあるにもかかわらず」ではなく「障がいがあるからこそ」偉業はなされるのだ。

文字らしきもの

私の観点変更を促してくれたもう一人の偉人、ダ・ヴィンチはルネサンス期の天才だった。

彼は「画家は万能でなければ賞賛に値しない」と言い遺した。軍事学、舞台、都市計画、解剖学、彫刻、航空力学、天文学、哲学などの膨大な研究は、ただ絵画の表現を完成させるためだけに必要とされた。生涯をかけた研究はメモ帳に残されている。

彼は片時もメモ帳を手放すことはなかったと言う。なぜ、メモを手放さないのだろうか。私もあちこちにメモ帳を置いている。と言っても食卓とトイレ、車の中の三か所である。たかが知れている。メモ帳を必要とするのは長期の記憶力に自信がないからだ。

ダ・ヴィンチのメモ帳を初めて見たのは中学校時代の美術の教科書だったと思う。スケッチとわけのわからない文字が書かれていた。当時は深く考えることなく、絵を描くためにつくったエスキース程度の代物だと思っていた。

メモ帳に記された「鏡文字」の謎を知るまでは、万能の真理を追い求めた天才だと思っていた。メモ帳に書かれた文字は古いイタリア語の鏡文字で、解読はむずかしいとされる。「鏡文字」に関しては種々の俗説がある。彼は左右反転する鏡文字を意図的に使ったのだろうか。歴史家や科学史家は、幼年期に右利きに矯正されたから……、研究内容を隠すため……、などとするが、はたしてそうだろうか。

正高教授は鏡文字から推測して「いわゆる読字障害といわれる、学習障害の一種である。彼は文字を読むのに困難を感じていた。だから、正しく字をつづろうとすることに不自由した」と述べ、「アインシュタインと同じように、脳の頭頂の部位が機能していないことに由来する」としている。

インカーブのアーティストの中にも文字に執着をみせる者がいる。確かにひらがなや漢字をイメージしているのだろうが、解読はむずかしい。鏡文字ではないが、文字が変形し、増幅し、「文字らしきもの」へと変容している。

ダ・ヴィンチのメモ帳に残された解読不可能な鏡文字は万能の真理を書き綴っている。「文字らしきもの」を書かせた要因が障がいにあるとすれば注目に値するだろう。計算が苦手なことや読み書きに不自由することが、アインシュタインやダ・ヴィンチの才能を開花させたのではないか。

私は走ることができない。階段を駆け上がることもできない。それを「劣っているコト」だと考えてみる。劣っていることがあれば、それを代償する能力が必ず存在する。障がいがあるがゆえに、障がいがない場合には生じ得ない能力を天から授かっているはずである。

できないことが谷だとし、できることを山だとしよう。谷を埋めるには山を削りだして土を運ばなければならない。しかし、そうするとどうなるだろうか。山も谷もない平坦な情景になる。美しくも汚くもない景色だ。

谷は埋めなくていいのだ。谷の暗くて深い世界を受け入れつつ、高くそびえる山を見ればいい。アインシュタインやダ・ヴィンチ同様、インカーブのアーティストも障がいがあるからこそ、とびきりユニークな才能が宿っているのだ。障がいを肯定し、諦めることにより、見えてくる大きな山は必ずあると私は信じている。

ウィリアム・モリスの企て

電通総研の友人は、インカーブの企てを称して「矛盾に満ちた社会的実験」と呼んだ。福祉と市場の二律背反の思想がインカーブには見え隠れする。だから、面白い。そのようなことを言ってくれた。

私は、その言葉を聞いてウィリアム・モリス（一八三四－一八九六）に思いを馳せた。モリスを知ったのは大学生のころだった。モリスを称して「近代デザインの原点」と書かれていた。

「インカーブの企ては、モリス商会の企てに似ている」というようなことを、先にふれた、金沢美術工芸大学の横川教授が話してくれた。インカーブとモリス商会、あまりにも格に違いがありすぎるのだが、私が追い求める「インカーブ」はそこにあるような気がしている。

裕福な家庭に長男として生まれたモリスは、自然と遺跡を好む子どもだった。一三歳のときに父が他界し、莫大な財産を手に入れる。以降、潤沢（じゅんたく）な資金を使いながらさまざまな活動を行っていく。

モリスは、大学時代に読みふけった評論家のジョン・ラスキンに影響を受け、一九世紀イギリスの産業社会に代わる中世的社会の実現を目指すようになる。大学入学当初は聖職に就く夢を持っていたが、次第に芸術に惹かれていき、建築、絵画、装飾芸術へと志望を変えていった。

装飾芸術家あるいはデザイナーとしての名声は、「モリス・マーシャル・フォークナー商会」を創設した翌年の一八六二年、第二回ロンドン万国博覧会以後高まってくる。モリス二八歳のときだ。その後もモリスの模索は続き、「モリス商会」への改組、歴史的建築物を醜い形で修復するのではなく、あくまでもオリジナルに忠実に保護するために「古建築物保護協会」を創設し、次いで社会主義活動と展開していった。さまざまな遍歴をたどりながらも、制作活動をやめることはなかった。

政治や宗教、道徳の偽善に対する反抗は、一九世紀イギリスのロマン主義詩人に共通して見られる傾向だ。モリスは、六歳でウォルター・スコットの騎士道物語を愛読していたという。筋金入りのロマン主義者そして中世主義者だったのだろう。

私の興味は、モリスのデザイナーとしての才能にあるのではない。壁紙に代表されるパターン・デザインも、ロンドン万国博覧会に出品されたステンドグラスや家具も、私の関心の焦点ではない。

私は、彼がたどった「矛盾に満ちた社会的実験」ともいえるソーシャル・デザインという企てに興味があるのだ。大阪大学大学院の藤田治彦（ふじたはるひこ）教授は、著書『ウィリアム・モリス——近代デザインの原点』（鹿島出版会、一九九六年）で「……モリスは主体的にいくつかの社会的活動に、続いて社会主義運動へと参画していった。そして、それらの行動も広い意味でのデザイン活動であり、広義の美しい住まい、つまり国土的あるいは地球的スケールでの望ましい生活環境をつくるための活動であった」と述べている。

モリスは、一八九〇年『コモンウィール』に「ユートピアだより」を掲載している。中世を規範とし、脱工業化社会にあるイギリスを夢想する小説である。すべての人が強制、収奪されることのない平等な社会。貨幣も存在せず、共に働き、各人が必要なものを必要なだけ手に入れることができる社会。それは究極的な社会主義、あるいは共産主義の状態を意味していた。

支配的で抑圧的なヒエラルキーに反抗し、社会を改革していくモリスは能動的である。さまざまな活動の背景にはぶれない背骨があった。その背骨は「デザイン＝企てる」ことだった。

インカーブは、アーティストの制作活動を主にしてアートやグッズを生み出している。できあがる作品やグッズを販売して、給料としてアーティストに支払う。当たり前の、普通の活動を行っている。だが、現在の世の中は普通ではない。モリスが夢みたような「デザイン＝企てる」ことで平等な世界を実現する。それが私とインカーブの夢である。

客観写生

バウハウスの創始者ヴァルター・アードルフ・ゲオルク・グロピウス（一八八三―一九六九）は、「最もすぐれたデザインは最も普通なもの」というようなことを言っている。ただ、普通なものをつくりだすほどむずかしいことはない。

グロピウスは、フランク・ロイド・ライト、ル・コルビュジエ、ミース・ファン・デル・ローエとともに近代建築の四大巨匠の一人とされる。著書『国際建築』で、造形は機能に従うものであり、国を超えて、世界的に統一された様式をもたらすと主張していた。

つまり「普通なものが国際建築とならん」ということだ。彼は、ナチスドイツの迫害を逃れ、アメリカ移住後は大学教育を通じてアメリカにおけるモダニズム建築の普及に影響力を持ち、超高層ビルにおけるインターナショナル・スタイル普及の礎を築いた。

「普通なもの」は自我の抑制から生まれるのだろう。高浜虚子（たかはまきよし）の『俳句への道』（岩波文庫、一九九七年）を読んでいてそんなことを思った。私の俳句歴は小学校で止まったままだが、虚子の「客観写生」の考え方は「観点変更」に通じるものとして興味を持った。

虚子は、俳句とは花鳥風月の文学であり、日本の特異な文学として誇りにすべきだと繰り返し述べている。特異な点は「客観写生」にあるという。その「客観写生」とはどのようなものか。「客観写生という事は花なり鳥なりを向うに置いてそれを写し取る事である。自分の心とはあまり関係がないのであって、その花の咲いている時のもようとか形とか色とか、そういうものから来るところのものを捉えてそれを諷(うた)う事である。だから殆ど心には関係がなく、花や鳥を向うに置いてそれを写し取るというだけの事である」と述べている。そして「客観写生」の極意は「感懐はどこまでも深く、どこまでも複雑であってよいのだが、それを現す事実はなるべく単純な、平明なものがよい」としている。

　主観は我欲の汚れが伴うものだが、主観なくして、「デザイン＝企て」は成立することはない。主観が入りながらも、主観を消していくという極意。禅問答のような答えは虚子のいう「客観写生」にありそうだ。

「客観写生」と「観点変更」。どちらもデザイナーとしては究極の技かもしれない。私たちは、表現技術を追求するあまり、心の組み立てかたをないがしろにしてきたのではないだろうか。目立つこと、儲かること、そんな技術ばかりを学んできたのではないだろうか。そしていま、大学でもそのようなことを教えているのではないだろうか。

私は、インカーブのアーティストからたくさんのものをいただいた。それは心が動くがままに対象物が動き、心が感じるがままに対象物を感じる、素な感情である。私にはまだそのような感情が宿ってはいない。ただ、目標とすべき人は目の前にいる。

普通なしあわせ

拍手をおくるしあわせ

俳優・高倉健さんが『南極のペンギン』(集英社、二〇〇一年)のなかで「ぼくの仕事は俳優だから、よくひとから拍手される。でも、拍手されるより、拍手するほうが、ずっと心がゆたかになる」と書いていた。私は心とからだのすべてが悲しいときに健さんの映画を観る。

初めて観た映画は一九八三年に公開された『南極物語』だった。私が二〇歳のとき、偶然、風呂上がりにテレビをつけたら流れていた。背筋が伸び、眼光が鋭く、寡黙で、理屈抜きにかっこよかった。以来、私は健さんの熱狂的なファンになってしまった。映画のロケ地を訪ねることもしばしばだ。

私が人から初めて拍手をいただいたのは二九歳のときだった。舞台は、ある障がい者施設。「障がい者の住まいや作業をする環境を変えれば、障がい者の意識もまわりの意識もきっと変わるはず……環境を変えるためにはデザインの力が必要なのです」と浅い経験則で捲(まく)し立てる若い日の自分がいた。それでも人は暖かい拍手をくれた。以降、何度、講演をしただろう。何度、教壇に立っただろう。十名以下のゼミから五百名以上の講演会まで数えきれないほど行ってきた。拍手は私一人に送られているものだと勘違いをし、私の言葉が人をよりよい方向に導くのだと嘯(うそぶ)いていた。

当初は緊張から過呼吸になりステージで手足に痺(しび)れがくるほどだったが、回数を重ねるたびにそれも次第になくなり、リラックスしてきた。相反するように、演壇で話し終わると自己嫌悪に陥った。言葉にならない辛さが一斉に押し寄せてくる。拍手の数が多いほど辛かった。

ステージを降りれば声をかけてくださる方、握手をしてくださる方、たくさんの方が笑みで迎えてくださった。それでも言葉にならない辛さがあった。申し訳なさがあった。どこからこの気持ちはくるのだろうか。ステージで話をしながら考えていた。

その答えはまたしてもインカーブのアーティストがもたらしてくれた。アーティストと同じステージに立ったとき、スーッと肩の力が抜けるのがわかった。講演慣れからくるリラックスではない。アーティストが私の心に永く住み着いていた欺瞞(ぎまん)に満ちた自己愛を打ち砕いてくれたのだ。

ステージで作品をつくるアーティストに心から拍手を送った。スポットライトを浴びるアーティストは健さんのように「背筋が伸び、眼光が鋭く、寡黙で、理屈抜きにかっこよかった」。以来、「私以外」のためになら、人前で話すことが辛くなくなった。

それでも「拍手されるより、拍手するほうが、ずっと心がゆたかになる」と思う。私がステージに立って拍手をされるより、アーティストやスタッフや学生がステージに立って、私は客席から拍手をしたい。

時々、ステージで涙することがある。「男が涙を流すなんて……」とおばあちゃんに叱られそうだが、アーティストの話をすると思わず言葉に詰まる。ステージでは泣けないが、客席なら泣ける。拍手しながら思いっきり泣いてみたい。

健さんもかっこいいが、インカーブのアーティストもかっこいい。

コントロールできること、できないこと

人は「苦」や「痛み」に鈍感だ。時々、私のからだの関節に途方もない痛みが訪れる。痛みがやってくると思考は停止し「ショウガナイ」と諦める。自傷行為でもなければ、他人から被(こうむ)った痛みでもない。だからコントロールもできない。「痛み」に鈍感になるよ天からいただいた人間のからだほど不思議なものはない。「痛み」に鈍感になるよ

うな機能を持っているらしい。時間の経過とともに「痛み」を感じなくなり、知らぬ間に「それなり」の生活ができるようになる。「苦」も時間の経過とともに消えていく。同様に「喜び」も時間の経過とともに消えていく。それを無常と呼ぶのだろう。デザイナーは、コントロールすることを生業にしている。だから簡単にコントロールできませんとは言えない。しかし、自分の意志でコントロールできないものを見ていると無性に嬉しくなる。そんな思いを抱きはじめたのはインカーブのアーティストと出会ってからだ。自己のリズムと時間を持ち、それぞれが個で生きている。個でありながらインカーブという共同体の中に身を置き、生活をしている。

私の問いかけに知らぬ顔をする人、一方的に自分の話をして立ち去っていく人、大声で呪文のような言葉を発し続ける人。そんな彼らを私はコントロールしようとはしなかっただろうか、と思う時がある。

私はデザインを通して新しい社会システムをつくろうと挑んだウィリアム・モリスに憧れ、インカーブを通して「閉じながら開く」ことをコントロールしようとしてきた。しかし、人間がコントロールできるのは瑣末なことでしかない。

天台本覚論の「草木国土悉皆成仏」の思想は、動物だけではなく植物にも、さらには大地にまで仏性を認める仏の教えである。草も木も大地も命があると考える「自然中心主義」である。一方で近代文明を支えた理念は「人間中心主義」であり、人類の幸福実現という目的のために科学技術を発展させてきた。人間どうしの平和共存のためにほとんどすべての倫理道徳を形成してきた。人間は、神にでもなったように動物を殺戮（さつりく）し、植物を伐採し、環境に大きなダメージを及ぼし、身勝手な発想を無反省に続けてきた。

「コントロールできるのは人間だけである」と考える「人間中心主義」は、いつか人類を滅ぼすに違いない。近代文明を越える新しい文明をつくるには、「人間中心主義」を越える新しい理念が必要である。その新しい理念は、独善的に人間が自然をコントロールすることからは生まれない。人間と自然が互いにコントロールできない存在だと認めあえる文明へ。そこでは共生を主眼とする「自然中心主義」がキーワードとなるだろう。

インカーブのアーティストの声に耳を澄ませ、大地の土を摑（つか）めばすべてをコントロールできないことを感じるはずだ。

普通なしあわせ

「普通」の文字を分解すると「並に日が通る」となる。東からお天道様がのぼり、西にしずむ。当たり前のコトを当たり前に行う。着飾ることのない素な状態。最近、そんな世界が無性に素敵に思えてならない。

でも、私の普通とあなたの普通は同じではない。まったく見ず知らずのあなたの普通を感じるにはどうしたらいいだろう。

デザイナーの力量は、あなたの普通を想えるか、想えないか、で決まるのではないだろうか。あなたならどんな行動をとるだろう。あなたなら何を想うだろう。あなたに引き寄せて想うこと、それが大切である。

また、想うためには、私の中にたくさんの引き出しが必要になってくる。あなたのことも、あなたたちのことも。当然、私のことも、私たちのことも、いっぱい詰まっている引き出しが必要になってくる。引き出しを使うコツは一つ。たくさんの引き出しを同時に開けてはならないということ。一つの引き出しを開けたら、いったん片付け、そして次の引き出しを開けなくてはならない。デザインすることを急ぐ人はたくさんの引き出しを開けっ放しでコトを進めてしまう。結果的には、整理整頓されていない混乱状態を招き、普通を想うことができなくなってしまうだろう。

引き出しに詰め込む内容は机上の研究だけでは得られない。内容は、実行に移された経験によって昇華されていくのだ。その場で何を考え、どのように乗り越え、逃げてきたか。私の経験からいえば、乗り越えたときより、逃げ出したときのほうが学びは多かった。逃げるときは、葛藤と苦しみを感じるものだ。きっと歓喜より悲しみによって精神の年輪は刻まれるのだと思う。

私は、アトリエ インカーブのアーティストの悲しみを感じる。逃げ出したくても逃げ出せない苦しみを感じる。そして葛藤し、普通でありたいと願う。普通なことは、悲しみの裏返しだ。悲しい経験がなければ何が普通かわからない。ゆえに「普通なしあわせ」もわからない。

アーティストの「普通なしあわせ」とは何だろう。最近では、国内外の美術館から、アウトサイダー・アートやアール・ブリュットではなく現代美術の企画展として開催したいと要望が届く。二〇〇九年四月～六月には、岡山県の高梁(たかはし)市成羽美術館で「えがく アトリエインカーブ展」が開かれた。以降も、現代美術を扱う美術館からオファーが届いている。

ところで、初めてインカーブに光を当ててくれたフィリスが二〇〇九年七月に引退した。ようやく、私の中にあるアウトサイダーやブリュットという呪縛が解けた。フィリスの右腕だったロンが後を継ぎ、ロン・ジャガー・ファイン・アート・アドバイザリーとして生まれ変わった。ロンは、ファイン・アートを強調し、大衆芸術とは一線を画していく方針のようだ。

しかし、展覧会開催のオファーだけがアーティストのしあわせではない。最低限の生活が経済的に保障され、プライドを持ち、毎日笑顔で暮らせる。そんな当たり前の「普通な生活」を送れることが真のしあわせである。私は、彼らのクリエイティブな能力に心酔してインカーブを立ち上げた。お涙頂戴や見世物小屋をつくりたかったわけではない。

私の夢は、「二五個のアトリエ」をつくることである。それができるなら、現在のアトリエ インカーブは解散してもかまわない。二五名のアーティストが二五個のアトリエをつくり、それぞれスタッフを雇用する。作品をつくることに専念するアーティスト。日常の声かけや身体ケア、作品の発信、保存を行うスタッフ。そんなイメージを「二五個のアトリエ」に持っている。

夢物語で終わらせないためには何が普通で、何が普通でないかを想うことができる人間を育てなければならない。その人間が覚悟を決めて、社会のシステムを変革し、「普通なしあわせ」を実現する。とどのつまり、実行する人間のココロザシが「普通なしあわせ」実現の成否を握るのだ。

と、偉そうなことを言いながら常に私は迷い、葛藤している。私が発する言葉、私がとる行動は、アーティストのためになっているのだろうか。自己満足ではないだろうか。航路は正しいだろうか。

しかし、私は、葛藤しながらもアーティストと同化してはいけないと考えている。「自己の鏡となる他者」としてアーティストの存在を認識しなければならない。私が鏡の中に入っては他者の「普通なしあわせ」を想うことはできない。他者を意識することは他者を理解することである。アーティストに寄り添いながら、同化することなく息を潜めて、彼らを想う。そうすれば「普通なしあわせ」を実現するためには、何を進め、何を断たなければいけないかが自ずと見えてくる。ようやく、そう想えるようになってきた。

単行本版「あとがき」

私は、アトリエ インカーブでデザインをしている。いま素直にそう思える。デザインという概念と寄り添ううちに「社会性のある企て」がデザインだと思えるようになった。

しかし、その所作はとても難しい。迷い、葛藤し、そして苦しむ。いつのころからだろう、眠りにつく前に仏の教えを読むようになった。そういえば幼いころ、おばあちゃんの膝枕で聞いた言葉も仏の教えだった。

迷いと葛藤は相反するコトがぶつかるときに生まれてくる。福祉と市場、デザインとアート、障がい者と健常者。いつの間にか私のまわりは相反するコトがいっぱいになった。そして相反することを俯瞰しながら私のお役目が見えてきた。

人には、生まれながらにお役目があると信じている。私にもあなたにも必ず天から授かったお役目がある。私は、アトリエ インカーブを通して「デザインとは何か」を問うお役目をいただいた。まだ、とば口に立った程度だが、迷い、葛藤する対象がはっきり、わかる。何によって生かされているのかも、わかる。

自分以外の他者に頼ったとき、ご縁が結ばれる。思いも寄らぬ方向からひょっこりと細い糸にたぐり寄せられてご縁はやってくる。インカーブのアーティストに出会えたこと、彼らを支えるスタッフやバラエティーに富んだブレーンに出会えたこと、すべてが必然的にやってきたご縁である。

力ずくではなく、乱暴ではなく、自力ではなく、そんなことをアーティストから学んだ。それは「デザインとは何か」の答えかもしれない。

本書は、私の処女作である。編集工房レイヴンの原章さんにアトリエ インカーブに興味を持っていただき、単行本としてまとめてみないかとお誘いを受けたのがきっかけだった。私は、企画書などの短い文章しか書いたことがなかったので、本の原稿など書けるのだろうかと不安に思った。しかし、時間がかかろうと、文章の構成が美しくなかろうと、自分の言葉で綴ってみたかった。きっと、文章を書くこともデザインの一部だと思えたからだろう。

とは言うものの、当初の三か月間は一文字も書くことができなかった。考えるだけで一向に手が動かない。「原さん。すみません」と呟きつつも、動かない。そんな私に我慢強く伴走しアドバイスを送っていただいたからこそ、この本が生まれえたのだと思う。感謝です。そして出版に踏み切っていただいた松浦利彦さんはじめ創元社のみなさん。あなた方の英断がなければこの原稿は、今も宙を彷徨っていたでしょう。感謝です。

そして、この本を最後まで読んでいただいたあなたに感謝です。アトリエ インカーブのアーティスト、スタッフ、あなたたちと過ごせる毎日に感謝です。

私に生きるお役目を授けてくれた天と、魂を作ってくれた最愛のおばあちゃんに心から感謝です。ありがとう。

二〇〇九年八月　今中博之

文庫版のための「補論」

「小さなコミュニティ」で希望を描くのは「デザイン」の仕事

『観点変更』が出版されてから約十一年が経った。実現できた仕事もあれば、姿を変えながら収まるところに収まったものもある。文庫版のための〝補論〟では、「いまだに、考え続けていること」を書いてみたい。

本書は、私のデザイナーとしての変遷をたどったものでもある。「デザインの世界で生きていかねば」と感じたのは私に障がいがあったからだ。立派な哲学や思いがあったわけではなく「立ち仕事が無理だから、座ってできる仕事」がデザインだった。そのデザインが一生の仕事になろうとは思ってもいなかった。

インカーブは社会福祉事業であることは間違いない。だが、私にとっては、れっきとしたデザインの仕事である。デザインは、色や形の組み合わせだけでなく、ソーシャルを見据えたデザインの考え方と実践だ。つまり、デザインは常に「ソーシャル」を射程に置いた「ソーシャルデザイン」でなければならない。そのソーシャルデザインは、「社会的課題を解決」するための「意図的な企て」で、利益追求を第一義にせず、「社会貢献」をしていくことである。

私のソーシャルデザインは「目の前にいるこぼれ落ちそうな人との関係」の中で展開されている。そして彼らを含めた社会で私たちを守ってくれたのが、身体に直接働きかける「コミュニティ」である。結局のところ、個々の能力はそのコミュニティで養われ、そのコミュニティで発揮されるのであって、遠くの、見ず知らずのコミュニティが私たちを救い出してくれることはまずない。

私が理想とするコミュニティは「小さい」。インカーブは、日本で最小の社会福祉施設である。経営的ハンディのある小さな規模を選んだ理由は、大きな規模ではお互いを慮ることができないと思ったからだ。私は二〇代から三〇代にかけて、一〇〇〇人をはるかに超える企業で勤めていた。お互いの慮りは関係する人数に比例して滞ることが身に染みてわかった。

インカーブの組織は、ざっと見積もってデザイナー（スタッフ）は一〇人。知的に障がいのあるアーティストは二五人。アーティストのご家族が合計一〇〇人。それにサポーター（外部のデザイナーやプランナー）が一五人。あわせて一五〇人である。

私は、このような「小さなソーシャル」「小さなコミュニティ」だからこそ、地に足のついた希望を見出せると考えている。

「小さなコミュニティ」で希望を描くのは「デザイン」の仕事である。そもそもモダンデザインは、貧者の救済をおこない、彼らの生活環境を計画するためにあった。そして醜悪な品物や模造品を生み出している商業主義に抗する力があった。しかし、現代の資本主義は、コトやモノの値段をつり上げ、ブランドがそれに差異と特権を与えた。その結果、ユーザーは過剰な優越感を貪る(むさぼ)ようになったのだ。

デザイン評論家の柏木博(かしわぎひろし)氏は、「切羽詰まった貧困な生活をいかにより良くするかという、まさに具体的なデザインの提案」(『デザインの教科書』、講談社現代新書、二〇一一年、一〇二頁)ができる人間をデザイナーと呼んだ。またグラフィックデザイナー、教育者など多様な顔をもつブルーノ・ムナーリ氏(一九〇七－一九九八)は、「デザイナーは、ある一人のエリートのために仕事をしない」(『芸術家とデザイナー』、萱野有美訳、みすず書房、二〇〇八年、二八頁)と書いた。ムナーリの思想を現代のソーシャルデザインに援用した、クーパー・ヒューイット国立デザイン博物館のキュレーターであるシンシア・スミス氏は、「世界のデザイナーの九五%は、世界の一〇%を占めるにすぎない、最も豊かな顧客向けの製品とサービスの開発に全力を注いでいる」(『世界を変えるデザイン――ものづくりには夢がある』、槌屋詩野監訳、北村陽子訳、英治出版、二〇〇九年、四〇頁）と本分を忘れたデザイナーを批判した。
三人の主張は、私の「ソーシャルデザイン」の方向性を示してくれた。「エリートではない、残りの九〇％の人々の切羽詰まった貧困な生活をいかにより良くするかという、まさに具体的なデザインの提案ができる」者が、私の理想とする「ソーシャルデザイナー」である。

ただ、現実は製品や建物の色や形などの表層部分を美しく見せる「狭義のデザイン」を仕事にしているデザイナーがほとんどである。彼らは、政策・制度論まで言及していく「広義のデザイン」の存在すら知らないはずだ。ちなみに、インカーブのような「障がい者のための社会福祉事業」を興すことも、オリンピックとパラリンピックの組織委員会の委員としてプランニングすることも広義のデザインだと、私は考えている。

私は大それた社会改革を唱えたいのではない。そうではなく「目の前にいるこぼれ落ちそうな人との関係」や私たちの身体に直接働きかける「小さなコミュニティ」を守るためにデザインは何ができるのか。一方で、その環境を脅かす者たちにどのような異議申し立てができるのか。そればかりを考えている。

アイデンティティの抜き取られ

補論の二つ目は、強者が、弱者の複数のアイデンティティから、一つのアイデンティティを抜き取っていくことについて、である。抜き取られ方を私の例でいえばこうだ。私は「京都に生まれ、大阪で育った」。「男」で「妻帯者」、「子どもが一人」いる。「サラリーマンから転職して社会福祉法人をつくり」、健常者ではなく「障がい者」と呼ばれている。細分化すればキリがないほど私をつくっているアイデンティティは多様だ。そのなかで私の知らない人が、私の了解なしに「障がい者」だけを抜き取り、話のネタにすることがある。

他者から抜き取られていくことは、自己と区別される他者として位置付けされ、固定化していく過程だ。それを「差別」と言ってもいい。少し遠回りのようだが、長年、私が仕事で関わってきた展示デザインから区別に根差す考え方の問題点を洗い出してみよう。

数多(あまた)の展示デザインのなかでも、民族学博物館の歴史や展示は、そもそもの「区別」と「差別」の関係がわかりやすい。非ヨーロッパ世界からもたらされた「異文化」の産物を中心とする民族学博物館の原点は「珍品陳列館」と呼ばれていた。植民地進出が激しくなるにつれ、博物学の衝動は「異文化」の人間に向けられ、西洋と非西洋が線引きされていく。西洋人は、人類を「ヨーロッパ人」「アメリカ人」「アジア人」「アフリカ人」「野生人」「奇形人」などに序列化し、なかでも大きなでん部を持つ「コイ族」の女性を「生きる野蛮」だと蔑んだのだ。動物学者の注目を集めていたコイ族の女性は、南アフリカからロンドン、パリに連れていかれ、一年半にわたって見世物小屋で陳列された。西洋文明の優位性を確保するために、ホッテントットのような「異文化」の人々は、個々の属性を抜き取られていった。

ホッテントットと同じような宿命を負わされた人間は現代の日本にもいる。彼らは、「障害者アーティスト」と呼ばれ、「作品」は彼らの了解なしに「アール・ブリュット」に区分され、普通のアートと交わることはない。その区分と序列を推進しているのがアトリエ インカーブと同じ社会福祉の事業者であり、福祉推進派の政治家だということに、私は呆れている。当時の博物学なら彼らは西洋、障がいのあるアーティストは非西洋に位置づけられるはずだ。

第三章でも触れたが「アール・ブリュット」という言葉は、フランスの画家ジャン・デュビュッフェによる造語である。彼は、アール・ブリュットの作り手を「芸術的教養に毒されていない人々」と呼び「西洋人」「知識人」と対置させた。西洋の理性、知性、分別の偏重やアカデミズムへの怒りがアール・ブリュットの出発点である。彼が最も嫌悪したのが「西洋とコイ族」のような構図だったことは想像に難くない。

また「芸術的教養に毒されていない人々」と障がい者は等号で結ばれているわけではない。インカーブの大半のアーティストは教養に毒されている。つまり、彼らは、その点でもアール・ブリュットの作り手ではない。

一方で、オリンピック・パラリンピックに向け、障がいのあるアーティストがつくる作品を原義に基づかない「アール・ブリュット」と名付け、「普通のアート」と区分しているが、いま一度、立ち止まって考える必要がある。一つ目は、それを美術史的観点でどのように位置付けるかだ。そもそも、美術と呼ぶのか、素人芸と呼ぶのか。オリンピック・パラリンピックに向け、美術研究者の言論に注目する必要があるだろう。二つ目は、美術としてではなく、社会福祉の啓蒙の道具として扱われている点だ。障がいのあるアーティストが最も多く集う場所は社会福祉の事業所である。美術的素養のない者たちが、障がいのあるアーティストを指導して美術作品をつくらせている。彼らの「作品」を、社会福祉の啓蒙と普及の手段として利用している様は、作品をリスペクトする態度とは思えない。

三つ目は最も強調したいことである。そもそも、障がいのあるアーティストは自らを障がい者だと思っているのだろうか。私は、オリンピック・パラリンピック公式アートポスター制作者の一人であるインカーブのアーティスト新木友行に「心や身体に、どんな、障がいがあると思う？」と質問したことがある。新木は「言葉が喋りにくいだけ」と答えた。ただ「喋りにくい」新木は、口腔機能障害があり咀嚼機能や嚥下機能、言語機能に不便を感じているが、知的に障がいがあることを自覚しているわけではない。

当然、彼は「アール・ブリュット」＝「障害者アート」＝「私がつくるアート」だとは思っていない。もしかしたら、その言葉が理解できないのかもしれない。もしかしたら、他者から区分されていることに気がつかないのかもしれない。だからと言って、彼に了解なしに「あなたはアウトサイダーです」「あなたの作品はアール・ブリュットです」と区別していいのだろうか。

区別と序列は、障がいのあるアーティストに関わる問題だけではない。「異文化」を収集した民族学博物館の原点は「珍品陳列館」だった。いつの時代も、異文化を略奪し、アイデンティティを抜き取るのは強者であり、一方で略奪され、新たなアイデンティティを授けられるのは弱者である。略奪された人間や物は「珍品」として愛でられ、その辱めは無抵抗に受け入れられているのだ。そんな暴力的な行為を社会福祉の範疇で許してはいけない。

オリンピック・パラリンピックを機に注目されている「日本独自のアール・ブリュット」は、抵抗しない弱者に区別と序列化を強いているということを忘れるべきではない。

共感的消費者を超える

いまだに、障がい者と社会福祉施設のスタッフの共作でデザインされた商品が、市役所のロビーや駅前などで二束三文で販売されている。なぜ、彼らの商品は二束三文的な扱いをされるのか。彼らは、なぜ、そんな扱いを受け入れるのか。障がい者の尊厳を認めるなら、彼らが生み出した商品／作品に尊厳を認めないのは、なぜか。補論の三つ目は、このような個人的な疑問と怒りを書いてみたい。

二束三文になる原因は、社会福祉施設のスタッフがデザインやアートの門外漢だからである。同様のことは他分野でもいえる。私のところに、障がい者の方々と一緒にクッキー作りをしている施設の代表が相談に来られた。製造用の最新機械を購入し、お店の改装もした。準備万端、クッキーを作り出したのだが一向に売れ行きは芳しくない。代表はその原因を私に尋ねられたので、失礼は承知のうえで「そもそも、このクッキーは美味しくない」とお答えした。

クッキーを作るプロは誰一人おらず、製造用の機械すらコントロールできないという。それでは美味しいクッキーが作れるわけがない。なぜ、彼らは素人だけで美味しいクッキーが作れると思ったのか。それは彼らを理解し、応援、支援する「共感的消費者」しかターゲットにしていなかったからだ。つまり、彼らの取り組みは、初めから一般の市場を目指したものではなかった。

旧来から社会福祉のメインターゲットは「共感的消費者」だと言われてきた。ただその範囲はとても狭く、見慣れた仲間うちに限られている。共感的消費者に依存し続ければ、マーケットは永遠に広がることはないだろう。その限りにおいては、これが社会福祉の市場化の限界点となってしまう。

インカーブでは共感的消費者を超える〝ショウヒシャ〟を探すために国内外の「アートフェア」に積極的に参加してきた。インカーブが誕生してから一〇年間は、所属するアーティストの作品の魅力を啓蒙するために、美術館で作品を発表することにこだわった。ただ、美術館で発表しているだけではアーティストの収入にならない。一定のブランディングを済ませた後は、一般の市場に向かい、共感的消費者を超える〝ショウヒシャ〟を見つけ出すことにした。

国内では最大規模でクオリティの高い「アートフェア東京」に二〇一三年から二〇一九年まで連続で出展し、京都や大阪のアートフェアにも不定期で参加してきた。また、海外では二〇一五年「スコープ・ニューヨーク」、二〇一六年「アート・ステージ・シンガポール」、そしてまたニューヨークに戻り、二〇一七年「アート・オン・ペーパー」に出展した。このようなハイクオリティなアートフェアに参加している社会福祉法人はわれわれだけである。回数を重ねるたびに共感的消費者を超えたアートパトロンという〝ショウヒシャ〟が現れてきた。

ところで、インカーブの母体は「社会福祉法人　素王会」（以下、素王会）である。その法人は、事業費の大半を税金でまかなう民間の法人だ。素王会の中核を担っているのは作品制作を行うインカーブ。そこで生み出された作品を美術館や国内外のアートフェアにつなげるのは、インカーブのアーティスト専属のコマーシャルギャラリーである「ギャラリー　インカーブ｜京都」である。またアトリエやギャラリーの取り組みや成果を書籍化したり、作品をベースにしたグッズを制作し、美術館のミュージアムショップなどで展開を図る出版社「ビブリオ　インカーブ」がある。

このような一見、企業に近い活動を社会福祉事業として取り組むところがインカーブの特徴だといえるだろう。共感的消費者に依存し続ければ、二足三文に違和感を持つことも忘れてしまう。一方で、生産や収入に囚われすぎたら、生産能力の無い者を排除する優生思想を助長する恐れがある。だから、本書の第八章で紹介した「公」が守り「民」が育てる「ダブル・アシスト」のような組み合わせが必要になってくるのだ。

障がいのある人は、自ら望んで障がいを負ったわけではない。だから、障がいによって働きにくかったり、生きづらかったりしてはいけない。日本国憲法第二五条に基づく最低限度の生活は、責務として公が保障すべきである。そして、それをより身近に感じ、より広く認知し、継続的に支持を得るためには、民の力が不可欠なのだ。つまり、公と民のバランスの取り方が肝になる。そのためには、何はさておき、二つをハンドリングできる人材育成が最大の難所であり、私の関心ごとである。

福祉文化をつくれる人

補論の四つ目は、人材育成について書いてみよう。私が育てたいのは「福祉の文化化と文化の福祉化」を可能にしてくれる人材である。

戦後日本の社会福祉研究の礎を築いた一番ヶ瀬康子氏（一九二七－二〇一二）はそれを「福祉文化」と表現した。「社会福祉の究極の目的が、自己実現への援助であり、その在り方を追求していくことであるという視点にたつならば、文化をふくみ得ない社会福祉はあり得ないといっても過言ではない」（一番ヶ瀬康子編『福祉を拓き、文化をつくる』中央法規出版、一九九一年、二二六頁）と約三〇年前に述べている。ただいまだに、「福祉文化」は生まれていない。原因の一つは、周知の通り、日本の文化予算は諸外国と比較して決して十分とは言えない上に民間の寄付額も低いことがある。くわえて、福祉にとって文化は新たに手に入れるもの、特別なものという意識が高すぎる。福祉には、すでに文化を内包していると考える人間がほとんどいない。

また彼女は、福祉の質を高め普遍的な拡がりを持たせるためには、建築家やジャーナリスト、映画監督、レクリエーションワーカー、ビジネスマンその他のさまざまな人々を巻き込んでいくべきだとも主張した。社会福祉は一つの分野や領域で完結するものではなく、四方八方に触手を伸ばしつながり合うことで成立するという主張には、私も深く頷くが、そのつなげ方に問題があった。

社会福祉事業者は「福祉だからわかってください、協力してください、理解して当然」という一方的で強引なノリが多い。他の業界からは、善意を盾に意見の相違を押しきられることへの違和感や、その善意を拒否することへの後ろめたさを感じたりで距離を置かれてしまう。その分断を埋めるために、独善的にならない言葉を使っていく必要があるだろう。

私は「福祉の文化化と文化の福祉化」を可能にしてくれる人を福祉ではなく、アートやデザインの世界から求めることにした。インカーブのスタッフは社会福祉系の大学・専門学校の出身者はおらず、アートやデザインを学業・職業にしてきた者がほとんどである。現在では、大半のスタッフが社会福祉士と学芸員の両方の資格を、基本スペックとして備えている。アーティストとスタッフは、双方のできること／できないこと、得意なこと／苦手なことを補完しあうイメージだ。創造性に長けたアーティストと、その作品を的確に世に放とうとするスタッフ。互いの持てる能力を出しあい、世界のアートマーケットに問うことがインカーブの活動である。

一方で、インカーブとして対外的に何ができるのかも模索していた。「おなじ釜の飯プロジェクト」と題した、有給のインターンシップ制度がスタートしたのは二〇一七年だった。インカーブの活動を二〇年近くやっていると、全国から「アート支援の困りごと」が寄せられる。私なりに困りごとを分析すると、やはり「障がいのあるアーティストを支援するスタッフに『アートやデザインの専門職』が少ないこと」にたどり着く。

このプロジェクトでは、私たちスタッフやアーティストとおなじ釜の飯を食べながら、インカーブ独自の障がいのある方の表現活動の支援や、作品展示発表・作品販売などのノウハウを伝えている。また、もう一つローカルな取り組みがある。スタッフ全員でお気に入りの本を読む輪読会を開催している。輪読する本は、デザイン系、アート系、福祉系、哲学系、宗教系、なんでもあり。いつもそばにいてくれるスタッフと、一つのテーマを探り合って、自らの興味関心を含めて、ワイワイガヤガヤできる豊かな時間である。

インカーブだけで人材育成をしても「福祉文化」は広がらない。そこで文化庁主催の「次代の文化を創造する新進芸術家育成事業」に協力し、数年にわたって対外的な活動を行ってきた。事業テーマは「障害者の芸術活動を支援する新進芸術家育成事業とその育成を芸術系大学において行う基盤構築のための調査事業」である。

この事業は、二〇一三年七月二日「障害者の芸術活動を支援するための懇談会（第二回）」で国公立の五芸大（東京藝術大学・愛知県立芸術大学・金沢美術工芸大学・京都市立芸術大学・沖縄県立芸術大学）の役割について私が発言したことがきっかけで始まった。当時、構成員をしていた本郷寛氏（元東京藝術大学美術学部教授）は、「今中さんのお話、大変共有できるところがあって興味深く聞かせていただきました。五芸大という国公立の芸術系の大学の組織があって、様々な取組をやっている中で、こういう話題を出して議論するということは可能だと思います」「文化庁と厚労省が一緒になって会議を開くということ自体の意味が、大変日本が何かを必要としている時期であって、美術の分野にとっても、このことが美術全体、芸術全体を考える良いきっかけになるのだと思っています」と発言。この懇談会をきっかけに、私が理想として掲げていた「文化庁と厚生労働省が共同で障がい者の表現活動を考えていくソーシャルアクション」が起動し始めた。

最終的には、国公立の四つの芸大・美大（京都市立芸術大学を除く）で、地域の社会福祉法人とつながる「アートと福祉」のプラットフォーム（基盤）づくりがスタートした。まず議論されたのは、障がい者の表現活動の歴史、その意味や意義、日本独自の偏った名付けの問題と障がい者団体のポリティカルな運動、作品の市場性、そしてアーティストのクリエイティビティ等々である。そこには数冊の本ができあがるほど多種で多様な議論があった。

私がこのソーシャルアクションで成し遂げたかったのは、デザイナー／アーティストの卵に社会福祉という魅力的な世界を紹介し、その領域に参加してほしいということだった。参加の仕方は、常勤スタッフでも非常勤スタッフでもかまわない。共感的なファンになることでもいい。接続の仕方は多様である。教員と学生の力を社会福祉の世界に投入すれば、ソーシャルアクションはもっと加速すると考えている。その結果、一番ヶ瀬氏が夢見た「福祉文化」に一歩近づくと思うのだ。

ほめることは間違っている

補論の最後は、インカーブの内向的な話をしてみたい。私は「閉じながら開く」ことでインカーブの安定を保とうとしてきた。われわれと毎日一緒に過ごしているアーティストの中には、精神的なバランスを崩しやすい方も多くいる。たとえば、アーティストの作品が展覧会やアートフェアに出品されたとしよう。でも次回、出品されなかったとき、彼はどのような気持ちになるだろう。知的に障がいがなければ、その落胆を何かで紛らわせ、時間が忘れさせてくれる可能性もある。だが、それが難しければ、気持ちの波の高さを少しでも平坦にして、ザワザワを軽減したいと思う。そのために、私たちは、展示されたからといって「ほめない」、売れたからといって「ほめない」と決めた。またインカーブで制作される作品について「うまい」とも「すごい」ともいわない。

承認欲求は誰にでもある。でも、ほめる人とほめられる人が固定されると、知的に障がいのあるアーティストのクリエイティビティは発揮されない。哲学者の野矢茂樹氏（立正大学文学部哲学科教授）は『哲学な日々―考えさせない時代に抗して』（講談社、二〇一五年、九四―九五頁）の中で、「ほめない」ことについて子どもの教育に絡めて「『ほめて育てる』という方針は根本的にまちがっている。／ほめられて育った子が、ほめられるためにがんばるようになる。そしてそこから抜け出せない」「ほめてくれる人に自ら進んで隷属しようとする」と警鐘を鳴らしている。

また野矢氏は「何かを為すときには、そのこと自体がもたらす達成感こそが、その行動の原動力になるのである」とし、「ほめない」かわりに「共に喜ぶこと」を選んだ。でも、その「喜びかた」には注意が必要である。知的に障がいのあるアーティストは従順な方も多く、こちらの「喜びかた」次第で彼らをコントロールすることも可能だからだ。共に喜ぶことは容易いが、私は、ほめることも共に喜ぶこともしないと決めた。

本書では、アーティストと作品の尊厳を守るために、そして彼らのアーティストとしての評価を得るために、慎重に発表の舞台を選ぶべきだと書いてきた。ただ、その評価が彼らにプレッシャーを与えているのも事実だ。続くことのない刹那的な喜びは、気持ちにザワザワを与える。そしてスタッフは、喜びたいけど、喜ばない。否定も肯定もしないし、白黒はっきりさせない。インカーブには、釈然としない感情がたえずある。

ほめない、喜ばない。それでは側にいないのと同じではないか、と思われるかもしれない。アーティストは壁に向かって制作しているだけではないか、と思われるかもしれない。でも、そうではないのだ。釈迦でいえば無記のような、コミュニケーションしないコミュニケーションというものがあるはずだ。

薬物から解放されるためのプログラム（ミーティングを中心に組まれたもの）を行う「ダルク」という組織がある。ダルクにいた友人から聞いた話によれば、薬物依存から脱却しようと来る人たちは、一日三回のミーティングで「かつて何が起きて」「いつもどうだったか」「今どのような状態か」だけを話すという。将来はどうなるかわからないから、今日までの話だけでいい。そして聞く側は感想や意見などは一切言わない。否定も肯定もない「言いっぱなし、聞きっぱなし」が基本とされる。また一対一でつながることは危険なので、第三者を介入させてつながる方法をとっているという。

その第三者は、ハイヤーパワーと呼ばれる神のような、目には見えない偉大な存在が設定されていた。実はその存在が「言いっぱなし、聞きっぱなし」の受け手である。放り投げた言葉は、否定も肯定もされず、すべてを拾い上げ、受け入れられている。その存在は、インカーブでいえば私やスタッフといえそうだ。神でも偉大な存在でも無いが、彼らとながく共に過ごすために、逆説的ではあるが、その存在を遠くに置こうとしている。ダルクの「言いっぱなし、聞きっぱなし」とインカーブの「ほめない」ことは、コミュニケーションしないコミュニケーションが成立していると思うのだが、どうだろう。

作品制作や発表に関していえば、否定も肯定もせず、コミュニケーションを棚上げにすることで、アーティストとの距離は保たれてきた。白黒はっきりさせない関係は、釈然としない感情を絶えず抱え込むことになるが、少なくとも彼らを従わせる毒は薄まるような気がしている。一方で、日常生活では、その冷徹さが緩みっぱなしだ。二〇年近く生活を共にすれば血を分けた家族のような存在である。

紙幅のかげんもあるので本書の補論はここまでにさせていただく。補論のホロンは近年、出版された別の拙著をご笑覧いただければ幸いである。

文庫版のための「あとがき」

絶版の『観点変更』を久しぶりに読み直してみた。いまと同じようなことを考えたり、書いたりしていて、あんまり代わり映えしない。一方で、インカーブが生まれて数年間で考えたことはいまと地続きだったことに安堵(あんど)もした。

デカルトが森で迷った旅人に「あっちこっちにいったらダメだよ。東なら東、南なら南に、ずっと歩くんだ。一つの方向を愚直に歩く。その方向があなたの望んだ場所に導かず、別の場所へ連れていっても、森で迷って息が絶えるより、ましでしょ」というようなことをアドバイスした。私も同感である。一つの方向を愚直に歩くことで、たくさんの果実を捨ててきたかもしれないが、私は得てきた果実で満足している。

ところで、当時もいまも、マスコミの質問の締めは「インカーブの事業を将来的にどのようにしていきたいですか」が多い。インカーブを立ち上げた当人がいうべきではないが、正直、私にはわからない。うわべをつくろうなら、それらしいことはいえるが、明日のことはわからない。本書ではアーティストの人数分だけのアトリエをつくって……と書いていたが、今にして思えば無責任なようにも思う。

比叡山の酒井雄哉大阿闍梨は、私に「夜眠りにつく時は死ぬんだ。目が覚めたら、オギャーと生まれるんだ。新しい一日を一生として生きるんだよね」と話してくださった。過去を嘆いても仕方がない。明日はこうありたいと思っても、明日はまだ来ていない。「今日一日を、精一杯、生きたらいいんじゃない、一日一生だよ」。ああもしたいし、こうもしたい、でも、それはそれとして、これからも、あまり代わり映えしない物語を書いていくのだろう。同じようなストーリーで、同じような登場人物とシチュエーション。時々、ゲストを迎えて事件が起こっても、なんとか一日を終える。長編の物語なんて書けないので、ショートショートを積み上げていけばインカーブらしい物語が綴れるように思う。

本書もインカーブ物語の貴重な一ページになった。絶版の本に命を与えてくれたのはNPO法人東京自由大学、編集者の今井章博さんだ。本書を含めて三冊の本づくりに伴走してくださった。そして、広く、皆さんに読んでいただける文庫本として世に出してくださったのは『壁（心のバリアフリー）はいらない、って言われても。』（二〇二〇年七月下旬刊行予定）に引き続き河出書房新社・編集第一部の尾形龍太郎さんである。二氏のご勇断に心より感謝したい。またインカーブ物語に登場するアーティストとご家族、スタッフ、外部のデザイナーやプランナーは、すべて私の宝物だ。今日も一日を共に生きたいと思う。

先日、私を京都大学の研究員にお誘いくださった教授から「あのころは目が鋭かったけど、いまは菩薩(ぼさつ)さんのような目になってるやん。なんか、あったん？」といわれた。インカーブ物語の中盤に妻の由未子が登場し、少し遅れて娘のさくらが加わった。私の目が「菩薩さんのよう」だとしたら、それは間違いなく二人のお陰である。今日も一日、よろしくお願いします。

二〇二〇年六月　今中博之

解説　静かでおだやかなこの物語を紡いでゆく

神谷　梢

文庫化に際し『アトリエ インカーブ物語』（単行本『観点変更』）を読み終え、一編の「物語」が紡がれるほどの月日が流れたことを目の当たりにしています。

二〇〇二年にアトリエ インカーブ（以下、インカーブ）が立ち上がり、単行本の『観点変更』が刊行されたのが二〇〇九年なので、本書にはこれまでのインカーブ物語の前半が記されていることになります。私が今中と出会ったのは、彼のサラリーマン時代終盤のことです。本書にもそのくだりがありますが、最初は今中の個人のデザイン事務所で手伝いをさせてもらうようになったものの、当時私はまだ学生で、今振り返るのも恐ろしいほど何もできないでいました。そして同時に、インカーブの前身である作業所のスタッフになり、以来、社会福祉法人の立ち上げから運営、行政との折衝など、インカーブの黒衣的な役どころを担っています。

今中は最近、菩薩様のような目をしていると言われたそうです。でも出会った頃は、不動明王のように眼光鋭く、それはそれは厳しかった！　今、愛娘のさくらちゃんに目尻を下げっぱなしなところをみると、隔世の感すらあります。

　今中には何事も「ほどほどで済ませる」ということがありません。今となっては、その厳しさの意味が分かりますが、当時は怒られどおしで、よく泣いて帰っていました。不動明王は人々を叱りつけてでも正しい道へ導こうとしている、だからあんな怒ったお顔をしていると今中に教えられました。怒りの奥にはやさしい眼差しがあります。それは自分の思い通りにならないことへの独りよがりな苛立ちではなく、小さき者、名もなき者を悲しませる理不尽な物事に対する憤りです。人は誰しも善く見られたいと、自分が怒っている姿をあらわにすることをためらうもの。しかし今中は、その怒りをうやむやに収めるようなことはしません。目を見開いて、相手の目を見て、ちゃんと怒ります。

　あれから二〇年近く経った今だからあえてエラそうに言うと、私をはじめとするスタッフがいなければ、今中の思考や企てが体現され、息が吹き込まれることはなかった、はず。そんな自負をもてるほど、それをここに書けるほどに、私は今中に育ててもらったともいえるし、理想郷を実現するためにうまく育て上げられた（丸め込まれた）ともいえます。いずれにせよ今中が思い描いた大きな理想は、一人のものではなく、みんながそれぞれの胸に抱くものになりました。

ひとが成熟するというのは、自分が思う時にいつでも大人と子どもを行ったり来たりできることだと、精神科医の言葉だったか、聞いたことがあります。今中のなかには、まさに大人と子どもが同居しているようにみえます。これまで鍛錬されてきた冷静な判断力で事業の後先(あとさき)の展開を見据えながらも、未(いま)だ見ぬ物事を興(おこ)す時には期待に胸を躍らせているのがわかります。

本書を読み進めると、今中は初めから結果を見越して、あるいは確固たる裏づけがあって行動を起こしてきたようにみえますが、私の体感では結果の三割くらいの目処がついたところでスタートを切っています。

インカーブが始まって、今中の考えやふるまいが時に周り(特に同業者の方)から反感を買い、軋轢(あつれき)をうむところを見てきました。今中のそれは世の中の理不尽に対する怒りからきているはずなのに、なぜ周りとの衝突がうまれるのでしょう。

知的障がいのあるひとがアートの才能を活かして、あるいはアートに親しみながら暮らしてゆきたいと願うなら、それをデザインの力で叶えたいと考えることは、今中にとってごく自然で、その生い立ちからも自身のつよい信念や理想に基づいているようにみえます。一方で、インカーブがスタートした約二〇年前は、行政や福祉にたずさわるひとにとって、アートやデザインは未知の世界のこととして理解しにくいものであったはずです。

よく知らないものを警戒したり排除しようとするのは当然のことなのかもしれません。けれど、今中の思考やインカーブの事業が、正義の押し売りや今中個人の独善的な行いととられるのはとても口惜しい。そう映らないようにするには、うまく言葉で表せないのですが、アクチュアルな肌感覚というのか、思考や企てを体現する行動が「いま」の空気感をまとっていることが大事なような気がしています。その行いが信念に照らして善いことだとしても、「いま」すべきではない社会状況ならブレーキをかける。これまで二〇年間、私はそんなことに心を砕いてきたように感じるのです。

良くも悪くも、私は大人と子どもを行き来できない、ただの大人です。むしろ意図的に、標準的な大人であろうとしているところもあります。私はインカーブの中にいながらも、意識は一人その輪を抜け出して、いまの世の中の言葉と流れの中で「インカーブ」という存在をとらえようとしています。それは、アーティストとスタッフが、信念や理想の中ではなく、いまこの時を生きているからです。今中のソーシャルデザインの思考に乗っかりながら、アーティストとスタッフを無用な衝突から守る私なりの方法なのだと思います。

本書が刊行された今日も、昨日と変わらない「普通なしあわせ」（p226）がインカーブには満ちています。でも、物語が紡げるほど長く、毎日が「普通なしあわせ」で満たされていることは、「普通」ではなく「奇跡」のようです。
静かでおだやかなこの物語の続編が明日からも紡がれることを願います。
（アトリエ インカーブ・チーフディレクター）

＊本書は二〇〇九年九月に創元社より刊行された『観点変更――なぜ、アトリエ インカーブは生まれたか』を加筆修正の上、文庫化したものです。
＊文庫化にあたり、著者による書き下ろし〈文庫版のための「はじめに」「補論」「あとがき」〉及び、神谷梢氏による文庫版「解説」を収録いたしました。

編集協力＝今井章博

アトリエ インカーブ物語

アートと福祉で社会を動かす

二〇二〇年 七 月一〇日 初版印刷
二〇二〇年 七 月二〇日 初版発行

著　者　今中博之
発行者　小野寺優
発行所　株式会社河出書房新社
〒一五一―〇〇五一
東京都渋谷区千駄ヶ谷二―三二―二
電話〇三―三四〇四―八六一一（編集）
〇三―三四〇四―一二〇一（営業）
http://www.kawade.co.jp/

ロゴ・表紙デザイン　粟津潔
本文フォーマット　佐々木暁
印刷・製本　中央精版印刷株式会社

Printed in Japan ISBN978-4-309-41758-5

デザインのめざめ

原研哉　41267-2

デザインの最も大きな力は目覚めさせる力である——。日常のなかのふとした瞬間に潜む「デザインという考え方」を、ていねいに掬ったエッセイたち。日本を代表するグラフィックデザイナーによる好著。

絵とは何か

坂崎乙郎　41191-0

「人間の一生は、一回かぎりのものである。その一生を『想像力』にぶちこめたら、こんな幸福な生き方はない。絵とは人生そのものなのだ」——絵を前にした人へ、著者自ら原点に立ち戻り綴った名エッセイ。

魯山人の真髄

北大路魯山人　41393-8

料理、陶芸、書道、花道、絵画……さまざまな領域に個性を発揮した怪物・魯山人。生きること自体の活力を覚醒させた魅力に溢れる、文庫未収録の各種の名エッセイ。

澁澤龍彥　日本芸術論集成

澁澤龍彥　40974-0

地獄絵や浮世絵、仏教建築などの古典美術から、現代美術の池田満寿夫、人形の四谷シモン、舞踏の土方巽、状況劇場の唐十郎など、日本の芸術について澁澤龍彥が書いたエッセイをすべて収録した決定版！

澁澤龍彥　西欧芸術論集成　上

澁澤龍彥　41011-1

ルネサンスのボッティチェリからギュスターヴ・モローなどの象徴主義、クリムトなどの世紀末芸術を経て、澁澤龍彥の本領である二十世紀シュルレアリスムに至る西欧芸術論を一挙に収録した集成。

アーティスト症候群　アートと職人、クリエイターと芸能人

大野左紀子　41094-4

なぜ人はアーティストを目指すのか。なぜ誇らしげに名乗るのか。美術、芸能、美容……様々な業界で増殖する「アーティスト」への違和感を探る。自己実現とプロの差とは？　最新事情を増補。